講義：確率・統計

穴太克則 著

学術図書出版社

はじめに

　本書は大学 1, 2 年次に履修する測度論を使わない「確率・統計」の教科書です．できるだけ基本的な定義，定理，手法をコンパクトにまとめるように努め，基礎の理解に重きをおきました．良書がたくさん出版されていますし，おそらく本書の範囲はどなたが書かれても取り上げる内容にさほど差異はないと思いますが，本書で心がけたのは**講義調の書き方**に加えて次の 3 つです（とはいっても数学の学習ではあたりまえのことですが）．講義調の書き方をとりましたので「話し言葉」と「書き言葉」が混在しているところはご容赦ください．

　まず，**定義は明瞭**にすることに気をつけました．ときおり「よくわかりません」という漠然とした質問を受けます．「何がわかりませんか？」と訊ねると定義をあいまいにしているがゆえの場合が少なくありません．わからなくなったら最初に戻るところは定義です．2 つめは，本書のレベルを超えない限りにおいて証明はできるだけ省略せず，**数式の展開は丁寧**に書き，フォローしやすいようにしました．計算でつまづき「わかった」感が遠のいてしまう場合も少なくないからです．また「証明がないので，なぜそうなのかが，今ひとつすっきりしないんです」という質問も幾度となく受けてきました．この理由から，時間制約のために実際の講義では省略しがちな定理の証明もできるだけ書き入れるように努め，省略したところは明記しました（テキストとして使用してくださる場合には専攻や講義回数に応じて取捨選択してください）．3 つめも普通のことですが，すべての**例題と演習に解説**を付け，自分で解答を確認できるようにしました．ただ基礎の理解を重視しましたので，例題と演習にはとても基本的な問題を取り上げています．すべてに解説を掲載していますので問題数はさほど多くはありません．それゆえに参考文献には演習書も挙げておきましたので参考になればと思います．

　なお，講義経験上把握したつまづきやすい箇所には，本文中にコメントめいたことを書いたり，主に文系諸君が忘れたり学んでいないと思われる基本公式は文中や欄外に書き添えました（わかっている人はすっとばしてください）．特

に文系の方は 6 章と 8 章は証明抜きで主要結果だけを確認することでも十分かもしれません．また定理や定義や概念などの全体の中での位置づけや相互の関連もわずかですが書くようにしました．森も見て木も見ることに少し役立てればと思います．

　本書は，これまで担当してきました南山大学，千葉大学，芝浦工業大学においての「確率論」「確率・統計」「統計学」などという名称の文系・理系双方の講義に対して書き溜めた未整理な手書き講義ノート群と講義経験を基にしています．千葉大学では千葉大学大学院理学研究科安田正實，渚勝両先生にお世話になりました．本書をまとめるにあたって，これまでに使用したり参考にさせていただいた諸先学の数々の御著書と学生諸君の数多くの質問と，原稿を通読し数多くの貴重なコメントをくださった神奈川大学工学部数学教室堀口正之先生と，数カ所の記述の不備に関して重要なコメントをくださった京都大学大学院理学研究科矢野孝次先生に感謝申し上げます．発刊にあたって学術図書出版の高橋秀治さんには終始お世話になりました．記して感謝申し上げます．

　本には相性があるようです．本書を手に取ってくださったみなさんのそれぞれの希望に応じて「わかった」感をもたらすことができれば幸いです．

　2011 年 11 月

穴太 克則

目 次

第1章 資料の整理 ... 1
  1.1 代表値と散布度 ... 1
  1.2 度数分布表とヒストグラム ... 5

第2章 確率——古典的定義 ... 14
  2.1 ラプラスの定義 ... 14
  2.2 順列と組み合わせ ... 18
  2.3 二項定理 ... 23

第3章 確率——公理論的構成 ... 25
  3.1 コルモゴロフの定義 ... 25
  3.2 確率の基本的性質 ... 29
  3.3 条件付き確率と独立 ... 31
  3.4 ベイズの定理 ... 35

第4章 確率変数と確率分布 ... 39
  4.1 確率変数と確率分布 ... 39
  4.2 期待値と分散 ... 44
  4.3 積率母関数 ... 50

第5章 主要な確率分布 ... 54
  5.1 二項分布 ... 54
  5.2 ポアソン分布 ... 58
  5.3 幾何分布 ... 62
  5.4 離散型一様分布 ... 64

5.5	正規分布	66
5.6	一様分布	70
5.7	指数分布	71

第6章 多次元確率分布　　75

6.1	2次元確率分布	75
6.2	多次元確率分布	86
6.3	分布の再生性	88

第7章 中心極限定理　　91

7.1	大数の法則	91
7.2	中心極限定理	93
7.3	二項分布の正規近似	96

第8章 標本分布　　99

8.1	標本，パラメータ，統計量	99
8.2	正規母集団と標本平均	101
8.3	χ^2 分布	102
8.4	F 分布	106
8.5	t 分布	109

第9章 点推定　　113

9.1	不偏推定量	113
9.2	有効推定量，一致推定量	115
9.3	最尤推定量	117

第10章 区間推定　　121

10.1	正規母集団の母平均の区間推定	121
10.2	母比率の区間推定	125
10.3	正規母集団の母分散の区間推定	127
10.4	2つの正規母集団の母平均の差の区間推定	128

第 11 章 検定 — 132

- 11.1 考え方 ... 132
- 11.2 正規母集団の母平均の検定（母分散既知）... 135
- 11.3 正規母集団の母平均の検定（母分散未知）... 137
- 11.4 母比率の検定 ... 139
- 11.5 正規母集団の母分散の検定 ... 140
- 11.6 2つの正規母集団の母平均の差の検定 ... 142

第 12 章 カイ 2 乗検定 — 148

- 12.1 適合度の検定 ... 148
- 12.2 独立性の検定 ... 152

演習問題の解答 — 157

1 資料の整理

母集団から取り出したデータを標本といいます．標本から標本平均，標本分散，標本標準偏差，モード，メジアンを求める方法を学びます．

1.1 代表値と散布度

次のようなあるプロ野球 A, B 投手の直球スピード (km/h) の 11 個のデータがあり，このデータのみから 2 人の投手の特徴をつかみたいとします．

A 投手：146, 146, 148, 148, 151, 147, 149, 152, 146, 147, 148.

B 投手：144, 143, 145, 149, 147, 151, 154, 149, 149, 149, 148.

(1) おそらくまず平均スピードを調べるでしょう．

$$A \text{ 投手}: \frac{146 + \cdots + 148}{11} = 148$$

$$B \text{ 投手}: \frac{144 + \cdots + 148}{11} = 148$$

平均スピードは同じなので，ここには両投手の違いは現れません．

(2) では，最も頻度が多い直球スピードを調べてみましょう．割り出すと

A 投手：148　　B 投手：149

です．データの中で最も頻度が多い値を**モード**（**最頻値**）と称しています．しかし，データ数が 11 個なのでさほど意味はなさそうです．

(3) 次に，11 個のデータを小さい値から大きい値に並べたときに，ちょうど中央の 6 番目の値を調べてみましょう．

A 投手：148　　B 投手：149

です．両投手ともにモードと同じ値ですね．このようにデータを小さい方から大きい方に並べて，ちょうど中央の値を**メジアン**（**中央値**）といいます．

これらの平均，モード，メジアンをデータを代表する値とみなして**代表値**と称します．両投手の平均スピードは同じですし，モードもメジアンも 1km/h しか差がありません．あまり特徴が出ていないので，データを眺めて**範囲**を確認してみましょう．すると次がわかります．

A 投手：最小スピードは 146, 最大スピードは 152,

B 投手：最小スピードは 143, 最大スピードは 154.

どうやら直球のスピードは，B 投手の方が散らばっているように見えます．この散らばり度（**散布度**）を数値化できれば特徴が把握しやすくなります．

(4) 散布度を数値化するのに**分散**という尺度があります．n 個のデータ $x_1, x_2, x_3, \cdots, x_n$ があるとき，n 個のデータの平均を $\bar{x}$ で表すと，

$$\bar{x} = \frac{x_1 + \cdots + x_n}{n}$$

です．このとき，分散を次のように定義[1]します．

$$\text{分散} = \frac{1}{n}\sum_{i=1}^{n}(x_i - \bar{x})^2 = \frac{(x_1 - \bar{x})^2 + \cdots + (x_n - \bar{x})^2}{n}$$

平均スピードからの離れ度合いが大きいほど，分散は大きい値をとります．A, B 投手の直球速度の分散は

A 投手：$\dfrac{(146 - 148)^2 + \cdots + (148 - 148)^2}{11} = 4,$

B 投手：$\dfrac{(144 - 148)^2 + \cdots + (148 - 148)^2}{11} = 9.6.$

B 投手のほうが分散，すなわち散らばり度合いが大きいことが数値で確かめられます．

(5) 分散の正の平方根を**標準偏差**といいます．A, B 投手の直球スピードの標準偏差はそれぞれ

A 投手：$\sqrt{4} = 2,$ B 投手：$\sqrt{9.6} = 3.098\cdots$

---

[1] $\sum$ の記号は足し算の記号で，$\sum_{i=1}^{n} f(x_i) = f(x_1) + f(x_2) + \cdots + f(x_n)$ を意味します．

となります．定義からもちろん，標準偏差が大きいほど散らばり度合いは大きくなります．

以上の分析から「A, B 投手の平均直球スピードは同じだが，B 投手の方が直球スピードのばらつきが大きい」という特徴が見えてきます．

この例のように，データの散らばり度合いを表す尺度を**散布度**といいます．代表値と散布度を併せて**特性値**ともいいます．データのことを**標本**ともいいます．これは何らかの母集団から標本を取ることを強調する呼び方です．このとき，データの個数，平均，分散，標準偏差をそれぞれ**標本の大きさ**，**標本平均**，**標本分散**，**標本標準偏差**とも呼びます．一方，モードやメジアンは標本モード，標本メジアンと呼ぶことはありません．

定義 1.1（代表値, 散布度） 大きさ n の標本 $x_1, x_2, \cdots, x_n$ に対して，
(i) 代表値
  (a) 標本平均: $\bar{x}$
$$\bar{x} = \frac{1}{n}\sum_{i=1}^{n} x_i = \frac{x_1 + \cdots + x_n}{n}.$$
  (b) モード（最頻値）: データの中で最も頻度が多いデータの値．
  (c) メジアン（中央値）: データを小さい方から大きい方に並べたときに真ん中にくるデータの値．
(ii) 散布度
  (a) 標本分散: s^2
$$s^2 = \frac{1}{n}\sum_{i=1}^{n}(x_i - \bar{x})^2 = \frac{(x_1-\bar{x})^2 + \cdots + (x_n-\bar{x})^2}{n}.$$
  (b) 標本標準偏差 s: 分散 s^2 の正の平方根．

データが偶数個の場合は，メジアンは真ん中の 2 つの平均をとって計算します．例で説明します．6 個のデータ: 7, 10, 5, 4, 7, 6, があるとします．小さい方から順に並べると

$$4, 5, 6, 7, 7, 10$$

です．メジアンは 6 と 7 の平均をとって，6.5 とします．

なお，この場合モードは 7 ですが，データ数が少ない場合にはモードはさほど意味をもたないことがわかります．大量のデータがある場合には，平均では見えないことがモードで見えてくる場合があります．たとえば，日本人の平均世帯年収が 600 万円であるとします．しかし，最も世帯数が多い（つまりモードです）世帯年収の階級は，300–350 万円だったりします．ある日常品に対して最も需要が多い層の好みをマーケティング調査をしたいとすれば，平均世帯年収の層を調べてもミスマッチが起こり，世帯年収 300–350 万円の層の好みを調べることが調査目的に合致します．

さて，標本分散を計算するときに有用な公式があります．

定理 1.1 (標本分散の公式)　大きさ n の標本 $x_1, x_2, \cdots, x_n$ に対して，標本分散 s^2 は

$$s^2 = \frac{1}{n}\sum_{i=1}^{n} x_i^2 - \bar{x}^2,$$

ここで $\bar{x}$ は標本平均．

証明　定義を変形すれば得られます．

$$s^2 = \frac{1}{n}\sum_{i=1}^{n}(x_i - \bar{x})^2 = \frac{1}{n}\sum_{i=1}^{n}(x_i^2 - 2x_i\bar{x} + \bar{x}^2)$$

$$= \frac{1}{n}\sum_{i=1}^{n} x_i^2 - \frac{2\bar{x}}{n}\sum_{i=1}^{n} x_i + \frac{\bar{x}^2}{n}\sum_{i=1}^{n} 1$$

ここで，

$$\bar{x} = \frac{1}{n}\sum_{i=1}^{n} x_i, \quad \sum_{i=1}^{n} 1 = \underbrace{1 + \cdots + 1}_{n\,個} = n$$

だから

$$s^2 = \frac{1}{n}\sum_{i=1}^{n} x_i^2 - 2\bar{x}^2 + \bar{x}^2 = \frac{1}{n}\sum_{i=1}^{n} x_i^2 - \bar{x}^2.$$

定義を確認するためのとても簡単な例題です．

例題 1.1（代表値，散布度） 次はある市での 1 日ごとの救急車出動回数の 1 週間分のデータである． 3, 5, 0, 2, 2, 5, 4
(1) 標本平均 (2) モード (3) メジアン (4) 標本分散 (5) 標本標準偏差を求めよ．

解答

(1) 標本平均は，
$$\bar{x} = \frac{3+5+0+2+2+5+4}{7} = 3.$$

(2) モードは，2 と 5.

(3) メジアンは，データを小さい方から並べて 0, 2, 2, 3, 4, 5, 5 であるから，3．

(4) 標本分散は，定義に従って計算すると，
$$s^2 = \frac{(3-3)^2 + (5-3)^2 + \cdots + (4-3)^2}{7} = \frac{20}{7} = 2.8571 \cdots.$$
公式に従って計算すると，
$$s^2 = \frac{3^2 + 5^2 + \cdots + 4^2}{7} - 3^2 = \frac{83}{7} - 9 = \frac{20}{7} = 2.8571 \cdots.$$

(5) 標本標準偏差は，
$$s = \sqrt{\frac{20}{7}} = 1.6903 \cdots.$$

1.2 度数分布表とヒストグラム

大量のデータから平均，分散などを計算するときにはもちろんコンピュータを利用するのが早いですが，コンピュータを使えないときには**度数分布表**から簡便的に標本平均，標本分散，標本標準偏差を計算することができて少し便利です．度数分布表を棒グラフ化したものを**ヒストグラム**といいます．

具体例で手順を解説します．

例 1.1 次は，あるホームページのアクセス数を 1 分間隔ごとに記録した 1 時間分のデータとします．

7	10	21	8	15	4	5	13	7	13	5	10	2	13	12
11	2	14	7	8	6	9	7	14	12	8	15	9	4	12
14	6	13	2	11	19	21	13	8	10	12	15	3	16	4
7	9	8	16	11	12	8	18	4	17	3	4	7	9	10

(**第 1 ステップ**) データを区間に区切ってカウントするために，区間の幅を決めます．この区間を**階級**と呼びます．ここでは，$0 \sim 4, 5 \sim 9, 10 \sim 14, 15 \sim 19, 20 \sim 24$ としてみましょう．

(**第 2 ステップ**) 階級別にデータをカウントします．**階級値**とは階級の中央の値のことです．**階級の幅**（c とします）は 5 です．

階級	階級の真の限界	階級値	度数
$0 \sim 4$	$-0.5 \sim 4.5$	2	10
$5 \sim 9$	$4.5 \sim 9.5$	7	20
$10 \sim 14$	$9.5 \sim 14.5$	12	20
$15 \sim 19$	$14.5 \sim 19.5$	17	8
$20 \sim 24$	$19.5 \sim 24.5$	22	2
計	−	−	60

この表を**度数分布表**といいます．**階級の真の限界**とは，小数点をもつデータの場合にどちらに入れるかを明確にするために使います．$-0.5 \sim 4.5$ のときには，通常 -0.5 以上 4.5 未満（-0.5 は含み 4.5 は含まない）とします．同様に $4.5 \sim 9.5$ のときには 4.5 以上 9.5 未満です．なお，階級は幅を同じにすれば，0 以上 5 未満, 5 以上 10 未満, · · · というようにとっても構いません．その場合には階級値は $2.5, 7.5, \cdots$ となります．上の度数分布表を棒グラフにすると図 1.1 の**ヒストグラム**が得られます．

(**第 3 ステップ**) 簡便的に標本平均を計算します．階級 $0 \sim 4$ の値を階級値 2 で代表させて，それが度数分の 10 個あると考えます．同様にそれぞれの階級の値を階級値で代表させて，それが度数分の個数あると考えます．このとき，

1.2 度数分布表とヒストグラム　　7

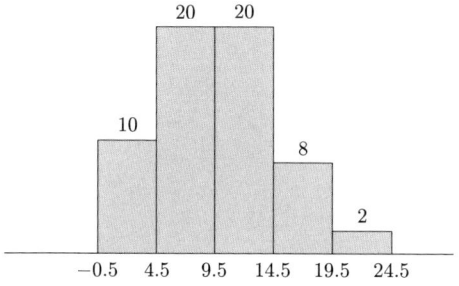

図 1.1　ヒストグラム

標本平均を簡便的に
$$\bar{x} = \frac{(2 \times 10) + (7 \times 20) + (12 \times 20) + (17 \times 8) + (22 \times 2)}{60}$$
$$= \frac{29}{3} = 9.6666\cdots,$$
と計算します．度数分布表から，この計算を取り出した表が次です．

階級値	度数	階級値 × 度数
2	10	20
7	20	140
12	20	240
17	8	136
22	2	44
計	60	580

これを一般的に書いてみましょう．階級が n 個あり，

　　　階級値を $x_1, x_2, \cdots, x_n,$　　階級の度数を $f_1, f_2, \cdots, f_n$

とします．度数の和（$=f_1 + \cdots + f_n=$データの全個数）を N とします．このとき，

$$\textbf{簡便的な標本平均}: \bar{x} = \frac{1}{N} \sum_{i=1}^{n} x_i f_i. \tag{1.1}$$

度数分布表に対応させれば以下の表です．

階級値 x_i	度数 f_i	$x_i f_i$
x_1	f_1	$x_1 f_1$
x_2	f_2	$x_2 f_2$
$\cdots$	$\cdots$	$\cdots$
x_n	f_n	$x_n f_n$
計	N	$\sum_{i=1}^{n} x_i f_i$

(第 4 ステップ）次は**簡便的な標本分散**の計算です．定義または公式（定理 1.1）を使い

$$s^2 = \frac{1}{N}\sum_{i=1}^{n}(x_i - \bar{x})^2 f_i = \frac{1}{N}\sum_{i=1}^{n} x_i^2 f_i - \bar{x}^2 \tag{1.2}$$

を計算するために度数分布表に $x_i^2 f_i$（階級値の 2 乗 × 度数）を追加します．

階級値 x_i	度数 f_i	$x_i f_i$	$x_i^2 f_i$
2	10	20	40
7	20	140	980
12	20	240	2880
17	8	136	2312
22	2	44	968
計	60	580	7180
平均		580/60	7180/60

これより，標本分散 $s^2 = \frac{7180}{60} - (9.6666)^2 = 26.222\cdots$ を得ます．簡便的な標本標準偏差は分散の正の平方根をとって，$s = \sqrt{26.222} = 5.1207\cdots$ です．

例題 1.1 の手順をまとめておきます．

度数分布表から簡便的に標本平均，標本分散を求める手順（その1）

(a) 階級と階級の幅を決める．度数をカウントし度数分布表を作る．
(b) 度数分布表から，$x_i f_i, x_i^2 f_i$ を計算する

階級値 x_i	度数 f_i	$x_i f_i$	$x_i^2 f_i$
x_1	f_1	$x_1 f_1$	$x_1^2 f_1$
x_2	f_2	$x_2 f_2$	$x_2^2 f_2$
…	…	…	…
x_n	f_n	$x_n f_n$	$x_n^2 f_n$
計	N	$\sum_{i=1}^{n} x_i f_i$	$\sum_{i=1}^{n} x_i^2 f_i$
平均		$(1/N)\sum_{i=1}^{n} x_i f_i$	$(1/N)\sum_{i=1}^{n} x_i^2 f_i$

(c) 簡便的な標本平均，標本分散を計算する．

$$\text{標本平均} : \bar{x} = \frac{1}{N}\sum_{i=1}^{n} x_i f_i$$

$$\text{標本分散} : s^2 = \frac{1}{N}\sum_{i=1}^{n} x_i^2 f_i - \bar{x}^2$$

簡便的な標本標準偏差は $s = \sqrt{s^2}$ により求められます．

さらに最初から標本平均を予想すると，もう少し簡単に標本平均，標本分散を求めることができます．手順を例を追って説明しましょう．

例 1.2 例題 1.1 と同じデータとします．度数分布表ができたところからスタートとします．

（第1ステップ） 度数分布表から標本平均を予想します．次ページの度数分布表から，どうやら7から12の間にありそうです．ここでは標本平均を12と予想してみます．これを仮の標本平均 $x_0 = 12$ とします．この12を0に基準化する操作を行います．この値を基準化した階級値と呼ぶことにして，u_i で表し

$$u_i = \frac{\text{階級値} - \text{予想した標本平均}}{\text{階級の幅}} = \frac{x_i - x_0}{c} \tag{1.3}$$

により計算します．この例では $c = 5$ です．

階級	階級の真の限界	階級値 x_i	度数 f_i
$0 \sim 4$	$-0.5 \sim 4.5$	2	10
$5 \sim 9$	$4.5 \sim 9.5$	7	20
$10 \sim 14$	$9.5 \sim 14.5$	12	20
$15 \sim 19$	$14.5 \sim 19.5$	17	8
$20 \sim 24$	$19.5 \sim 24.5$	22	2
計	—	—	60

(**第 2 ステップ**) 基準化した階級値 u_i, そして, $u_i f_i, u_i^2 f_i$ を計算します.

階級値 x_i	度数 f_i	u_i	$u_i f_i$	$u_i^2 f_i$
2	10	-2	-20	40
7	20	-1	-20	20
12	20	0	0	0
17	8	1	8	8
22	2	2	4	8
計	60	—	-28	76
平均			-0.4666	12.6666

(**第 3 ステップ**) 簡便的に標本平均, 標本分散を次の式で計算します. N は全度数, c は階級の幅, n は階級の数です.

$$\text{簡便的な標本平均} : \bar{x} = x_0 + c\bar{u}, \ \bar{u} = \frac{1}{N} \sum_{i=1}^{n} u_i f_i \qquad (1.4)$$

$$\text{簡便的な標本分散} : s^2 = c^2 \left(\frac{1}{N} \sum_{i=1}^{n} u_i^2 f_i - \bar{u}^2 \right) \qquad (1.5)$$

第 2 ステップの表から, $\bar{u} = \frac{-32}{60} = -0.4666\cdots$ なので,

簡便的な標本平均 : $\bar{x} = 12 + 5 \times (-0.4666) = 9.6666\cdots$,

簡便的な標本分散 : $s^2 = 5^2 \left\{ \frac{1}{60} \times 76 - (-0.4666)^2 \right\} = 26.2222\cdots$,

を得ます. 計算式 (1.4) と (1.5) は, (1.1),(1.2) と (1.3) から得られます. まず,

(1.3) より，$x_i = x_0 + cu_i$ です．これを (1.1) に代入すると

$$\bar{x} = \frac{1}{N} \sum_{i=1}^{n} (x_0 + cu_i) f_i$$

$$= x_0 \frac{1}{N} \sum_{i=1}^{n} f_i + c \frac{1}{N} \sum_{i=1}^{n} u_i f_i$$

$$= x_0 + c\bar{u}.$$

ここで，$\sum_{i=1}^{n} f_i = N$（度数の和 $= N$），$\bar{u} = \frac{1}{N} \sum_{i=1}^{n} u_i f_i$ を使っています．また，$x_i = x_0 + cu_i$ と $\bar{x} = x_0 + c\bar{u}$ を (1.2) に代入すると，

$$s^2 = \frac{1}{N} \sum_{i=1}^{n} (x_i - \bar{x})^2 f_i$$

$$= \frac{1}{N} \sum_{i=1}^{n} (cu_i - c\bar{u})^2 f_i$$

$$= c^2 \frac{1}{N} \sum_{i=1}^{n} (u_i^2 - 2u_i \bar{u} + \bar{u}^2) f_i$$

$$= c^2 \left(\frac{1}{N} \sum_{i=1}^{n} u_i^2 f_i - 2\bar{u} \frac{1}{N} \sum_{i=1}^{n} u_i f_i + \bar{u}^2 \frac{1}{N} \sum_{i=1}^{n} f_i \right).$$

ここで，

$$\bar{u} = \frac{1}{N} \sum_{i=1}^{n} u_i f_i, \quad \frac{1}{N} \sum_{i=1}^{n} f_i = 1$$

を上式に代入すれば，(1.5) を得ます．

例題 1.2 の手順を一般化した形でまとめると次ページになります．

> **度数分布表から簡便的に標本平均，標本分散を求める手順（その 2）**
>
> (a) 階級と階級の幅 c を決める．度数をカウントし度数分布表を作る．仮の標本平均 x_0 を予想し，基準化した階級値 u_i を次で定める．
> $$u_i = \frac{x_i - x_0}{c}.$$
>
> (b) 度数分布表から，$u_i, u_i f_i, u_i^2 f_i$ を計算する
>
> | 階級値 x_i | 度数 f_i | u_i | $u_i f_i$ | $u_i^2 f_i$ |
> |---|---|---|---|---|
> | x_1 | f_1 | u_1 | $u_1 f_1$ | $u_1^2 f_1$ |
> | x_2 | f_2 | u_2 | $u_2 f_2$ | $u_2^2 f_2$ |
> | ... | ... | ... | ... | ... |
> | x_n | f_n | u_n | $u_n f_n$ | $u_n^2 f_n$ |
> | 計 | N | | $\sum_{i=1}^n u_i f_i$ | $\sum_{i=1}^n u_i^2 f_i$ |
> | 平均 | | | $(1/N)\sum_{i=1}^n u_i f_i$ | $(1/N)\sum_{i=1}^n u_i^2 f_i$ |
>
> (c) 簡便的な標本平均，標本分散を計算する．
>
> 標本平均 : $\bar{x} = x_0 + c\bar{u}, \quad \bar{u} = \dfrac{1}{N}\sum_{i=1}^n u_i f_i$
>
> 標本分散 : $s^2 = c^2 \left(\dfrac{1}{N}\sum_{i=1}^n u_i^2 f_i - \bar{u}^2 \right)$

―――――――1 章の演習問題―――――――

1.1 (平均，標準偏差) 数 $1, 2, 3, 4, 5, 6, 7, 8, 9, 10$ の平均と標準偏差を求めよ．

1.2 (モード，メジアン) 次のデータからモード，メジアンを求めよ．ただし，$a < b < c < d$ とする．

$a, a, a, b, b, b, b, b, c, c, c, c, c, d, d, d, d, d, d, d$

1.3 (平均，メジアン，分散) 観測値 $a, 5, b, 13$ は大きさの順に並んでいる．平均は 7 でメジアンは 6 であるとき，分散を求めよ．

1.4 (標本平均, 標本分散) 次の度数分布表から, 簡便的に標本平均, 標本分散を求めよ.

階級	度数
$120 \sim 130$	1
$130 \sim 140$	5
$140 \sim 150$	18
$150 \sim 160$	21
$160 \sim 170$	13
$170 \sim 180$	2
計	60

2 確率—古典的定義

確率の古典的定義と，確率の計算で使う順列，組み合わせを学びます．

2.1 ラプラスの定義

サイコロ1個を投げて，1の目が出る確率は $\frac{1}{6}$ であると，日常では普通に使います．これは，「起こりうるすべての場合の数は，1が出る，2が出る，$\cdots$，6が出る，の6通り．1が出る場合の数は1通りだから $\frac{1}{6}$ である」と考えています．この計算は直感的に

1が出る，$\cdots$，6が出るという6通りそれぞれは同様の確からしさで起こる

ことを前提にしています．この考え方を一般化したのが，次のラプラスによる確率の古典的定義です．

> **定義 2.1 (確率の古典的定義 1)** ある試行について，起こりうる結果がそれぞれ同様の確からしさで起こるとする．このとき，
> $$\text{ある事象が起こる確率} = \frac{\text{ある事象が起こる場合の数}}{\text{すべての起こりうる場合の数}}$$

上の定義で「試行」や「事象」という言葉を使いました．確率で使う言葉を定義しましょう．

1. **試行:** 同じ条件下で繰り返し行うことのできる実験や観測
2. **根元事象:** 試行により起こりうる事柄の最小単位
3. **標本空間（全事象）:** 根元事象すべての集合（全体集合）
4. **事象:** 標本空間（全事象）の任意の部分集合

試行は T，根元事象は ω（オメガ），標本空間（全事象）は Ω（オメガ），事象は $E, F, \cdots$ とか $A, B, \cdots$ と大文字で標記する習わしになっています．「任意」の部分集合とは，部分集合ならば「何でもよい」という意味です．サイコロ 1 個を投げる例では，次のようになります．

1. 試行: サイコロを 1 個を投げる
2. 根元事象: 1 が出る，2 が出る，$\cdots$，6 が出る
3. 標本空間（全事象）: $\Omega = \{$1 が出る，2 が出る，$\cdots$，6 が出る $\}$
4. 事象: たとえば，偶数が出るという事象を E とすると，$E = \{$2 が出る，4 が出る，6 が出る $\}$．確かに事象 E は Ω に含まれる部分集合です．

毎回根元事象を「1 が出る」と書くのは大変です．これを ω_1，2 が出る根元事象を $\omega_2, \cdots$，6 が出る根元事象を ω_6 と標記すると，サイコロを 1 個投げたときの全事象 Ω と偶数の目が出る事象 E は

$$\Omega = \{\omega_1, \omega_2, \cdots, \omega_6\}, \ E = \{\omega_2, \omega_4, \omega_6\}$$

と書けます．根元事象 $\omega_1, \omega_2, \cdots, \omega_6$ をより簡素に，それぞれ $1, 2, \cdots, 6$ として

$$\Omega = \{1, 2, 3, 4, 5, 6\}, \ E = \{2, 4, 6\}$$

と書いたりもします．

さて，空集合 $\emptyset$ と Ω 自身も Ω の部分集合なので，定義よりこれらは事象です．$\emptyset$ を**空事象**といいます．根元事象のどれも起こらないわけですから，直感的にこの確率は 0 です．Ω は試行の結果，根元事象のどれかが起こる事象です．標本空間 Ω が事象であることを強調するときには**全事象**と呼びます．あたりまえですが，この確率は 1 にならなければいけません．

以上，根元事象・標本空間・事象を使えば，ラプラスの定義は次のように書けます．事象 E に含まれる根元事象の個数を $\#E$ とか $n(E)$ と表記します．たとえば，$E = \{2, 4, 6\}$ ならば，$\#E = 3$ です．本書では $\#E$ を使います．

> **定義 2.2 (確率の古典的定義 2)** ある試行 T に対する標本空間 Ω に含まれるどの根元事象も同様の確からしさで起こるとする．このとき，任意の事象 E に対して，E が起こる確率を $\mathrm{P}(E)$ と書き，次で定義する．
> $$\mathrm{P}(E) = \frac{\#E}{\#\Omega}, \quad \#\Omega > 0.$$

サイコロを 1 個投げる試行の例では，$\mathrm{P}(\emptyset) = \frac{0}{\#\Omega} = 0$ となり，何も起こらない確率は 0 であることが確認できます．また，$\mathrm{P}(\Omega) = \frac{\#\Omega}{\#\Omega} = 1$ となり，根元事象のどれかが起こる確率は 1 であることが確認できます．偶数の目が起こる事象 E の確率は $\mathrm{P}(E) = \frac{3}{6} = \frac{1}{2}$ と計算されます．例題で，古典的定義による確率の計算を簡単に確認してみましょう．

例題 2.1 (古典的定義による確率の計算) 2 個のサイコロを投げる．
(1) 標本空間 Ω を求めよ．
(2) 2 個とも同じ目が出る事象を E とする．$\mathrm{P}(E)$ を求めよ．
(3) 目の和が 4 以下である事象を F とする．$\mathrm{P}(F)$ を求めよ．
(4) E または F が起こる確率を求めよ．
(5) E かつ F が起こる確率を求めよ．

解答
(1) サイコロを区別して，それぞれに i と j の目が出る根元事象を (i, j) と表すとする．

$$\begin{aligned}\Omega = \{&(1,1), (1,2), (1,3), (1,4), (1,5), (1,6), \\ &(2,1), (2,2), (2,3), (2,4), (2,5), (2,6), \\ &(3,1), (3,2), (3,3), (3,4), (3,5), (3,6), \\ &(4,1), (4,2), (4,3), (4,4), (4,5), (4,6), \\ &(5,1), (5,2), (5,3), (5,4), (5,5), (5,6), \\ &(6,1), (6,2), (6,3), (6,4), (6,5), (6,6)\}.\end{aligned}$$

これを簡潔に $\Omega = \{(i, j) : i, j = 1, 2, 3, 4, 5, 6\}$ と書く場合もあります．

(2) $E = \{(1,1),(2,2),(3,3),(4,4),(5,5),(6,6)\}$. よって，$\#E = 6, \#\Omega = 36$ だから，$\mathrm{P}(E) = \frac{6}{36} = \frac{1}{6}$.

(3) $F = \{(1,1),(1,2),(1,3),(2,1),(2,2),(3,1)\}$. よって，$\#F = 6$ だから，$\mathrm{P}(F) = \frac{6}{36} = \frac{1}{6}$.

(4) E または F が起こる事象を $E \cup F$ と書き，**和事象**と呼びます．E か F に含まれる根元事象をすべて書き上げれば求まります．$E \cup F = \{(1,1),(1,2),(1,3),(2,1),(2,2),(3,1),(3,3),(4,4),(5,5),(6,6)\}$. よって，$\#\{E \cup F\} = 10$ だから，$\mathrm{P}(E \cup F) = \frac{10}{36} = \frac{5}{18}$.

(5) E かつ F が起こる事象を $E \cap F$ と書き，**積事象**と呼びます．E にも F にも含まれる根元事象の集合です．$E \cap F = \{(1,1),(2,2)\}$. よって，$\#\{E \cap F\} = 2$ だから，$\mathrm{P}(E \cap F) = \frac{2}{36} = \frac{1}{18}$.

例題 2.2 (古典的定義による確率の計算) コイン 2 枚を投げる．稀にコインが立つことがあるとは思わず，同様に確からしくコインは表か裏のどちらかが出るとする．表が出る根元事象を H，裏が出る根元事象を T とする．

(1) 標本空間 Ω を求めよ．
(2) 両方とも表が出る事象 E の確率 $\mathrm{P}(E)$ を求めよ．
(3) 2 枚のコインの表裏が異なる事象 F の確率 $\mathrm{P}(F)$ を求めよ．

解答

(1) $\Omega = \{(H,H),(H,T),(T,H),(T,T)\}$.
(2) $E = \{(H,H)\}$. よって，$\#E = 1, \#\Omega = 4$ だから $\mathrm{P}(E) = \frac{1}{4}$.
(3) $F = \{(H,T),(T,H)\}$. よって，$\#F = 2$ だから $\mathrm{P}(F) = \frac{2}{4} = \frac{1}{2}$.

ところで，ラプラスによる確率の定義の中には「**同様に確からしく起こる**」とあります．これは「同じ確率で起こる」ということではないんだろうか？ そうだとすると，確率を確率で定義するというのはおかしくはないか？ と思いませんか．同じような疑問を数多くの数学者ももちました．また，後述しますが起こりうる場合が非可算無限個の場合，すなわち，標本空間 Ω が非可算無限個の要素をもつ場合にも不都合が生じるときがあります．あいまいかつ不都合が生じる定義であるがゆえに，その後にさまざまな考察がなされました．

数学的にひとまずの決着を見るには，コルモゴロフによる「確率の公理論的構成」が提案されるまで待たなくてはなりませんでした（この「公理論的確率の定義」を次章で学びます）．こんな背景もあり，高校数学での確率はラプラスの定義の範囲に留まっています．

さて，確率を計算するには，「$\#\Omega=$すべての場合の数」と「$\#E=$ある事象 E が起こる場合の数」を計算すればよいことになります．次節は，この場合の数を計算するときによく使う「順列」と「組み合わせ」です．高校数学で学んだ重複順列，同じものを含む順列，円順列，重複組み合わせの計算テクニックも復習します．さほど必要がなければ，§2.3 二項定理までとばしてください．

2.2　順列と組み合わせ

順列　A さん，B さん，C さんのうちの 2 名が 1 列に並ぶとします．並び方は

$$AB, \ AC, \ BA, \ BC, \ CA, \ CB$$

の 6 通りあります．並び方の一つひとつを**順列**と呼び，その総数を**順列の数**（**総数**）といいます．計算での 6 通りの求め方は，

- 先頭に並ぶ人の決め方が 3 通り
- 先頭に並んだ決め方のそれぞれに対して，2 番目に並ぶ人の決め方は，残った 2 名だから 2 通り
- したがって，$3 \times 2 = 6$ 通り

です．これを一般に拡張したものが次の順列の総数の定義です．

定義 2.3 (順列)　n 個の異なるものから，任意に r 個取って 1 列に並べる順列の総数を $_nP_r$ と書き，次で与えられる．
$$_nP_r = n(n-1)\cdots(n-r+1), \ n \geq r.$$

特に $r=n$ のときは，$_nP_n = n(n-1)\cdots 2 \cdot 1 = n!$ です．$n!$ は n の**階乗**と

呼びます．階乗の記号で書き直すと

$$_nP_r = \frac{n!}{(n-r)!} \tag{2.1}$$

となります．ただし，$0! = 1$ と定義します．

重複順列　それでは，n 個の異なるものから，繰り返しを許して r 個取り，1 列に並べる順列の総数はいくつになるでしょうか．1 列目から n 列目までの決め方はそれぞれ n 通りですから

$$n \times n \times \cdots \times n = n^r \text{ 通り}$$

ですね．これを**重複順列**と呼びます．

同じものを含む順列　次に，同じものを含む順列です．たとえば，a, a, b を 1 列に並べる順列の総数はいくつになるでしょうか．a, a は区別できません．書き上げてみると

$$aa, \ ab, \ ba,$$

の 3 通りであることがわかります．もし a が区別できて，a_1, a_2 ならば，1 列に並べたときの順列の総数は，

$$a_1 a_2, \ a_2 a_1, \ a_1 b, \ a_2 b, \ ba_1, \ ba_2$$

の 6 通りであることがわかります．これを比べてみると，aa に対しては，a を区別した a_1 と a_2 の順列の総数 2! 倍が順列の数になります．ab, ba に対しても，2! 倍すれば順列の数になります．したがって，

(同じ a を含む a, a, b の順列の総数) × (同じもの a, a の順列の数 2!)

$$= \text{異なる } a_1, a_2 \text{ を含む } a_1, a_2, b \text{ の順列の総数}$$

であることがわかります．これより，同じものを含む順列は，2! で割り算してあげれば

$$\frac{_3P_2}{2!} = \frac{3!}{1!2!} = 3 \text{ 通り}$$

と計算できます．これを一般に拡張したものが，次の**同じものを含む順列**です．

同じものを含む順列: n 個のものが，n_1 個の同じもの，n_2 個の別の同じもの，$\cdots$，n_c 個の別の同じものに分けられ，$n = n_1 + n_2 + \cdots + n_c$ とする．n 個を 1 列に並べる順列の総数は
$$\frac{n!}{n_1! n_2! \cdots n_c!}. \tag{2.2}$$

円順列 次は円順列です．$1, 2, 3, \cdots, 12$ の数字を円卓に並べる順列の総数を考えてみましょう．時計を思い浮かべて手許の紙に書いてみてください．$1, 2, 3, \cdots, 12$ が時計のように円卓に並んでいるとします．数字が 1 時間ずつ元の位置から時計回りにずれたとしましょう．しかし，これは同じ順列です．数字がさらに 1 時間ずれたとしましょう．これも同じ順列です．このように時間をずらすと同じ順列が 12 通りできます．したがって，$1, 2, 3, \cdots, 12$ を 1 列に並べた順列の総数 $12!$ を重複した 12 通りで割った $\frac{12!}{12} = 11!$ が，求める円順列の個数になります．これを一般化したのが**円順列**です．

円順列: n 個の異なるものを円に並べてできる順列の総数は
$$\frac{n!}{n} = (n-1)!. \tag{2.3}$$

順列，重複順列，同じものを含む順列，円順列の簡単な例題です．

例題 2.3 (順列の計算) 次の場合の数を求めよ．

(1) *prob* から 2 つのアルファベットを取り並べる順列の総数．

(2) *prob* から重複を許して 2 つのアルファベットを取り並べる順列の総数．

(3) *probability* のアルファベットを並びかえてできる順列の総数．

(4) *prob* のアルファベットからできる円順列の総数．

解答

(1) $_4P_2 = 4 \times 3 = 12$ 通り．

(2) $4 \times 4 = 16$ 通り．

(3) b が 2 個，i が 2 個あり，同じものを含む順列だから $\frac{11!}{2!2!} = 9979200$ 通り．

(4) $3! = 6$ 通り.

組み合わせ 組み合わせは順番を考えません．例で見てみましょう．A さん，B さん，C さんから 2 名を選んでできる組の総数は，数え上げると

$$\{A, B\}, \{A, C\}, \{B, C\}$$

の 3 通りです．これに対して，順列を数え上げると，

$$AB, BA, AC, CA, BC, CA$$

の 6 通りです．組 $\{A, B\}$ に対して，順列 AB, BA が対応します．これは 2 倍です．この 2 倍は A と B の順列の総数 $2!$ 個です．同様に組 $\{A, C\}, \{B, C\}$ に対しても，それぞれの順列は $2!$ 個です．したがって，

(A, B, C さんから 2 名を選んでできる組み合わせの総数) $\times 2!$

$= A, B, C$ さんから 2 名取る順列の総数 $3!$

であることがわかります．言い換えれば，順列の総数 $3!$ を $2!$ で割れば組み合わせの総数が得られ，$\frac{3!}{2!} = 3$ 通りとなります．これを一般化したものが次の組み合わせの定義です．

> **定義 2.4 (組み合わせ)** n 個の異なるものから，任意に r 個とった組み合わせの総数を ${}_nC_r$ と書き，次で与えられる．
> $$ {}_nC_r = \frac{{}_nP_r}{r!} = \frac{n!}{r!(n-r)!}.$$

${}_0C_0 = 0$ とします．$n \geq 1$ に対しては，${}_nC_0 = 1$ です．${}_nC_r$ を $\binom{n}{r}$ とも書きます．定義から

$$ {}_nC_r = {}_nC_{n-r} \tag{2.4}$$

が成り立つことがわかります．

重複組み合わせ 例題からいきましょう．$x + y + z = 5$ をみたす非負の整数 x, y, z の解はいくつあるでしょうか？ これは x, y, z の 3 つの文字から，重複を許して 5 個取り出す組み合わせの個数を求めることに等しくなります．○と | で次のような対応を考えてみましょう．1 つ目の | の左にある○の個数が x,

1つ目と 2 つ目の | の間にある○の個数が y, 2 つ目の | の右にある○の個数が z に対応します．

$$\bigcirc\bigcirc\bigcirc\bigcirc\bigcirc\,|\,| \iff (x,y,z) = (5,0,0)$$
$$\cdots$$
$$\bigcirc\bigcirc\,|\,\bigcirc\,|\,\bigcirc\bigcirc \iff (x,y,z) = (2,1,2)$$
$$\bigcirc\bigcirc\,|\,\bigcirc\bigcirc\,|\,\bigcirc \iff (x,y,z) = (2,2,1)$$
$$\cdots$$
$$|\,|\,\bigcirc\bigcirc\bigcirc\bigcirc\bigcirc \iff (z,y,z) = (0,0,5)$$

これより，○ 5 つと | 2 つの同じものを含む順列の個数だけ，非負整数解があることがわかります．よって，この方程式の整数解の個数は $\frac{7!}{5!2!}$ 個です．これは $_7C_5$ に等しくなります．これを H の記号を用いて，$_3H_5 = {}_{3+5-1}C_5$ と書きます．

この考え方を一般化すると，次がわかります．

重複組み合わせ： n 個の異なるものから，繰り返しを許して r 個取る組み合わせ（重複組み合わせと呼びます）の総数は

$$_nH_r = {}_{n+r-1}C_r.$$

さて例題です．

例題 2.4 (重複組み合わせ) $x + y + z = 5$ をみたす正の整数解はいくつか？

解答 すべて数え上げれば，
$$(x,y,z) = (1,1,3), (1,2,2), (1,3,1), (2,1,2), (2,2,1), (3,1,1)$$
の 6 個です．重複組み合わせの考え方で解くと次です．$x + y + z = 5$ の正の整数解 (x,y,z) の個数は，$X = x - 1, Y = y - 1, Z = z - 1$ と置き換えると，$X + Y + Z = 2$ の非負整数解 (X,Y,Z) の個数に等しくなります．したがって，異なる 3 個から重複を許して 2 個取る重複組み合わせの個数に等しく，$_3H_2 = {}_{3+2-1}C_2 = {}_4C_2 = 6$ 個です．

2.3　二項定理

4章で学ぶ二項分布に関連してよく活用される二項定理を復習しておきます．中学・高校で学んだ次の式：

$$(a+b)^2 = a^2 + 2ab + b^2$$
$$(a+b)^3 = a^3 + 3a^2b + 3ab^2 + b^3$$

を一般化します．

$(a+b)^n = (a+b)(a+b)\cdots(a+b)$ ですから，$a^{n-r}b^r$ の係数は，n 個の $(a+b)$ から b を r 個選ぶ組み合わせの数 ${}_nC_r$ に等しくなります．したがって，次を得ます．

定理 2.1 (二項定理)

$$(a+b)^n = \sum_{r=0}^{n} {}_nC_r a^{n-r} b^r$$
$$= {}_nC_0 a^n + {}_nC_1 a^{n-1} b^1 + \cdots + {}_nC_r a^{n-r} b^r + \cdots + {}_nC_n b^n$$

例題 2.5　$(3x-y)^6$ の展開式の $x^2 y^4$ の係数を求めよ．

解答　二項定理より，展開式の一般項は ${}_6C_r (3x)^{6-r} (-y)^r$ ですから，$r=4$ の項が $x^2 y^4$ を与えます．その項は

$${}_6C_4 (3x)^2 (-y)^4 = \frac{6!}{4!2!} \times 9x^2 \times y^4 = 15 \times 9x^2 y^4 = 135 x^2 y^4.$$

よって，係数は 135．

二項定理を使えば，

$$2^n = (1+1)^n = {}_nC_0 + {}_nC_1 + \cdots + {}_nC_r + \cdots + {}_nC_n,$$
$$(1+x)^n = {}_nC_0 + {}_nC_1 x^1 + \cdots + {}_nC_r x^r + \cdots + {}_nC_n x^n \qquad (2.5)$$
$$= 1 + nx + \frac{n(n-1)}{2} x^2 + \cdots + x^n$$

という等式を得ることができます．

例題 2.6 次の等式を示せ．
$$_nC_0 - {}_nC_1 + \cdots + (-1)^r {}_nC_r + \cdots + (-1)^n {}_nC_n = 0$$

解答 (2.5) において，$x = -1$ とすればただちに示せます．

2章の演習問題

2.1 (確率の計算) サイコロ2個を投げて，出た目の積が出た目の和以上になる確率を求めよ．

2.2 (組み合わせ) 52枚のトランプをよく切り，4人のプレイヤー A, B, C, D さんに13枚ずつ配る．
(1) A さんにハートのカードが配られない確率は？
(2) A さんにエースが4枚配られる確率は？

2.3 (順列)
(1) 0,1,2,3 の数字を重複を許して用いたとき，3桁の自然数はいくつできるか？
(2) statistics を並べ替えてできる順列の総数はいくつか？

2.4 (組み合わせ) 次の問いに答えよ．ただし，同じ色の玉は区別できないものとし，空箱があってもよいとする．
(1) 赤玉10個を区別ができる4個の箱に分ける方法は何通りか？
(2) 赤玉6個と白玉4個の合計10個を区別ができる4個の箱に分ける方法は何通りか？

2.5 (二項定理) $(1+x)^n = \sum_{r=0}^n {}_nC_r x^r$ を用いて，
$$_nC_1 + 2{}_nC_2 + \cdots + r{}_nC_r + \cdots + n{}_nC_n = 2^{n-1}n$$
を示せ．(Hint: 両辺を x で微分せよ)

3 確率—公理論的構成

確率の公理的定義から確率の基本性質が導かれること,そして,条件付き確率,事象の独立,ベイズの定理を学びます.

3.1 コルモゴロフの定義

ラプラスによる確率の古典的定義で生じる不都合を見てみましょう.

> **例 3.1 (確率の古典的定義で生じる不都合な例)** 実数上の区間 $[0,1]$ からでたらめに1点 X を選ぶとします.どの点も同様の確からしさで選ばれるとします.このとき,ある1点 c を選ぶ場合の数は1通り,$[0,1]$ から1点を選ぶ場合の数は無限通り(解析で学ぶように,$[0,1]$ 区間に点は無限個)あります.したがって,古典的定義による確率は $\frac{1 通り}{無限通り} = 0$(無限大で割り算をしたら0であると定義すれば)です.すると,$[0,1]$ から1点を選んだときにその1点が $\left[\frac{1}{2},1\right]$ に含まれる確率も0になります.なぜならば,$\left[\frac{1}{2},1\right]$ 内の1点 c を選ぶ確率は0であり,0はいくつ足しても0です.これはちょっと変です.直感的に,$[0,1]$ から1点を選んだときに,それが $\left[\frac{1}{2},1\right]$ 内の1点である確率は $\frac{1}{2}$ にならないといけません.

この例を含めた古典的定義による不都合に,ある決着をつけたのがコルモゴロフです.確率の定義を公理的に与えました.後述する公理をみたすものを確率と定義しようという考え方です.「確率とは何であるか?」という疑問をひとまず横において,最小限の基本的性質を公理として仮定し,その公理をみた

すものは，すべて確率であるとしました．これにより確率に数学的立脚点[1]が与えられました．このあたりの話を含めて，本格的に確率・統計を学ぶには測度論を必要とします．本書は測度論を扱わないので「そんなものか～」という感じで収めてください．なお，「公理」とは証明すべきものではなく「これは認めてしまおう」というものです．以下の公理をみたす P は「すべて」確率であると定義します．

公理 3.1 (確率の公理的定義) Ω を集合とする．次をみたす $(\Omega, \mathcal{F}, \mathrm{P})$ を**確率空間**と呼び，P を**確率**という．

(i) $\mathcal{F}$ は Ω の部分集合を要素にもつ集合（**部分集合族**といいます）であり，次をみたす．

　(a) $\Omega \in \mathcal{F}$

　(b) たかだか可算個の $A_1, A_2, \cdots$ が $\mathcal{F}$ に含まれる（$A_i \in \mathcal{F}, i = 1, 2, \cdots$）ならば，$\bigcup_{i=1}^{\infty} A_i \in \mathcal{F}$ である．

　(c) $A \in \mathcal{F}$ ならば，A^c（A の補集合）$\in \mathcal{F}$

(ii) すべての $A \in \mathcal{F}$ に対して，実数値関数 $\mathrm{P}(A)$ が定まり，次をみたす．

　(a) $\mathrm{P}(A) \geq 0$

　(b) $\mathrm{P}(\Omega) = 1$

　(c) $A_1, A_2, \cdots \in \mathcal{F}$ に対して，$A_i \cap A_j = \emptyset, i \neq j$（$A_i$ と A_j が共通部分をもたないことを意味します．このとき A_i と A_j は**互いに排反**といいます）ならば，

$$\mathrm{P}\left(\bigcup_{i=1}^{\infty} A_i\right) = \sum_{i=1}^{\infty} \mathrm{P}(A_i)$$

この公理的定義は，確率が備えるべき性質を導くのに最小限の要請になっています．なお，$\bigcup_{i=1}^{\infty} A_i = A_1 \cup A_2 \cup \cdots$ です．

Ω を**標本空間**または**全事象**といいます．Ω の要素を**根元事象**といいます．根元事象は通常 ω で表します．$\mathcal{F}$ は「事象全体の集合」を表します．したがっ

---

[1] 確率は測度論に基礎をおくことが示されました．ここで初めて確率は数学になったと評されるように，以後の確率論はこの測度論を基礎に展開・発展されます．

て，**事象**とは，$\mathcal{F}$ の要素である集合を指します（さらに言い換えると Ω の部分集合が事象です）．「$A \in \mathcal{F}$」と書いてあれば，A は $\mathcal{F}$ の要素であることを表しますが，確率では「A は事象である」という意味をもちます．

さて，よく使う事象を 3 つ確認しましょう．$A \in \mathcal{F}, B \in \mathcal{F}$ に対して，

- $A \cup B$ は，A か B の少なくとも一方が起こる事象であり，**和事象**といいます．
- $A \cap B$ は，A と B の両方が起こる事象であり，**積事象**といいます．
- A^c は，A が起こらない事象であり，A の**余事象**といいます．

和事象，積事象は 2 つ以上の事象に対しても同じ意味です．

- $\bigcup_{i=1}^{\infty} A_i$ は，$A_1, A_2, \cdots$ の少なくともどれかが起こる事象です．
- $\bigcap_{i=1}^{\infty} A_i = A_1 \cap A_2 \cap \cdots$ は，$A_1, A_2, \cdots$ のすべてが起こる事象です．

実は，標本空間が非可算無限集合の場合には確率空間の構成は必ずしも容易ではありません．測度論が必要になりますので，そこには深入りできません．しかし，標本空間が有限集合の場合は，確率空間を比較的容易に構成できます．例で見てみましょう．

例 3.2 (確率空間の例)

1. コインを 1 枚投げて表が出ることを H，裏が出ることを T と書くとします．確率空間を
   $\Omega = \{H, T\}$,
   $\mathcal{F} = \{\emptyset, \{H\}, \{T\}, \Omega\}$,
   すべての $A \in \mathcal{F}$ に対して，$\mathrm{P}(A) = \frac{\#A}{\#\Omega} = \frac{\#A}{2}$,
   と定めれば，公理をすべてみたします．$\emptyset$ と Ω 自身も Ω の部分集合なので，$\mathcal{F}$ の要素です．ときおり入れ忘れる場合もあるので注意しましょう．

2. サイコロを 1 個投げて「i の目が出る」ことを i と書くとします．確率空間を，
   $\Omega = \{1, 2, 3, 4, 5, 6\}$.
   $\mathcal{F} = \Omega$ の部分集合全体（やや大変ですがすべて書き上げることができます．ここでは省略します），

すべての $A \in \mathcal{F}$ に対して，$\mathrm{P}(A) = \frac{\#A}{\#\Omega} = \frac{\#A}{6}$,

と定めれば，公理をすべてみたします．実はこの確認はめんどうですが，Ω が有限個の根元事象で構成されているときには次の定理[2]があります．証明抜きで挙げておきます．

定理 3.1 有限試行においては，標本空間 Ω に対して $\mathcal{F} = 2^{\Omega}$（Ω のすべての部分集合の集合を意味する），$A \in \mathcal{F}$ に対して，$\mathrm{P}(A) = \frac{\#A}{\#\Omega}$ と構成すれば，確率空間 $(\Omega, \mathcal{F}, P)$ は公理 3.1(i),(ii) をみたす．

では，簡単な確率空間の構成を練習してみましょう．

例題 3.1 (確率空間) コインを 2 枚投げたときの確率空間を構成せよ．表が出ることを H，裏が出ることを T と書くとする．

解答 $\Omega = \{\{H,H\}, \{H,T\}, \{T,H\}, \{T,T\}\}$．$\mathcal{F} = \Omega$ の部分集合の集合．すべて書き上げると次です．

$\mathcal{F} = \{\emptyset, \{H,H\}, \{H,T\}, \{T,H\}, \{T,T\},$
$\{\{H,H\}, \{H,T\}\}, \{\{H,H\}, \{T,H\}\}, \{\{H,H\}, \{T,T\}\},$
$\{\{H,T\}, \{T,H\}\}, \{\{H,T\}\{T,T\}\}, \{\{T,H\}, \{T,T\}\},$
$\{\{H,H\}, \{H,T\}, \{T,H\}\}, \{\{H,H\}, \{H,T\}, \{T,T\}\},$
$\{\{H,T\}, \{T,H\}, \{T,T\}\}, \{\{H,H\}, \{T,H\}, \{T,T\}\}, \Omega\}$

すべての $A \in \mathcal{F}$ に対して，$\mathrm{P}(A) = \frac{\#A}{4}$．定理 3.1 より，$\mathcal{F}$ は公理 (i)-(a),(b),(c) をみたします．$\mathrm{P}(A)$ は公理 (ii)-(a),(b),(c) をみたします．

---

[2] たとえば，$\Omega = \{\omega_1, \omega_2, \omega_3\}$ とします．このとき Ω の部分集合の総数は，ある部分集合に ω_1 が入るか入らないかの 2 通り，ω_2 が入るか入らないかの 2 通り，ω_3 が入るか入らないかの 2 通りですから，$2^{\#\Omega} = 2^3$ 個になります．このことから，一般に有限個の根元事象からなる Ω の部分集合の集合を 2^{Ω} と書きます．

3.2 確率の基本的性質

確率の基本的性質は，公理から証明することができます．証明自体を完全にフォローができるようになることはさほど要求されないかもしれせん（数理系学科以外は）．公理から基本的性質が導かれるという事実を知っておくことが大切といえます．ところで大学に入って初めて学ぶときには，証明に現れる集合の演算に不慣れなのかピンとこないようで，ときおり質問が出る箇所です．ベン図を参照しましょう．

> **定理 3.2 (確率の基本的性質 1)** A, B を事象とする．
> (iii) $P(A^c) = 1 - P(A)$. （**余事象の確率**）
> (iv) $P(\emptyset) = 0$.
> (v) $A \subset B$ ならば，$P(A) \leq P(B)$.
> (vi) $P(A) \leq 1$.

証明

(iii) $\Omega = A \cup A^c$ であり，A と A^c は互いに排反だから，公理 3.1(ii)-(b)(c) より，
$$1 = P(\Omega) = P(A \cup A^c) = P(A) + P(A^c).$$

(iv) $\Omega^c = \emptyset$ だから，(iii) を適用すれば，$P(\emptyset) = 1 - P(\Omega)$. 公理 3.1(ii)-(b) より，$P(\emptyset) = 0$.

(v) $B = A \cup (A^c \cap B)$ だから，公理 3.1(ii)-(a)(b) から
$$P(B) = P(A) + P(A^c \cap B) \geq P(A).$$

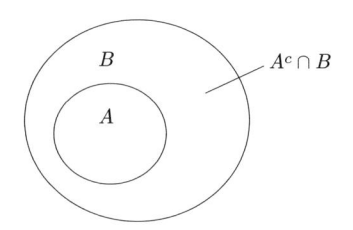

(vi) $A \subset \Omega$ だから,公理 3.1(ii)-(b) と上の (v) から,
$$P(A) \leq P(\Omega) = 1.$$

定理 3.3 (確率の基本的性質 2–加法定理) A, B を事象とする.
$$P(A \cup B) = P(A) + P(B) - P(A \cap B).$$
特に A, B が互いに排反ならば,$P(A \cup B) = P(A) + P(B)$.

証明 集合 $A \cup B$ は,次のように 3 つの互いに排反(共通部分をもたない)な集合の和として表すことができる.
$$A \cup B = (A \cap B^c) \cup (A \cap B) \cup (B \cap A^c).$$

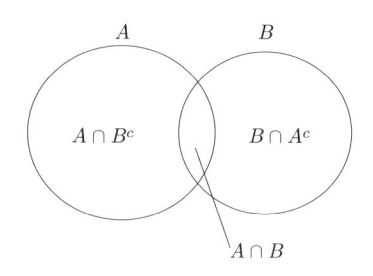

したがって,公理 3.1 (ii)-(c) より
$$P(A \cup B) = P(A \cap B^c) + P(A \cap B) + P(B \cap A^c). \tag{3.1}$$
集合 A, B に対しても
$$A = (A \cap B^c) \cup (A \cap B),\ B = (B \cap A^c) \cup (B \cap A)$$
であるから,公理 3.1(ii)-(c) より
$$P(A) + P(B) = P(A \cap B^c) + P(B \cap A^c) + 2P(A \cap B).$$
上式と (3.1) から,
$$P(A) + P(B) = P(A \cup B) + P(A \cap B).$$

例 3.3 (加法定理) トランプ 52 枚から 1 枚取り出す．取り出したカードが，ハートまたはエースである確率を求めてみましょう．ハートである事象を A，エースである事象を B とします．求める確率は $P(A \cup B)$．
$$P(A) = \frac{13}{52},\ P(B) = \frac{4}{52},\ P(A \cap B) = \frac{1}{52}$$
したがって，加法定理より
$$P(A \cup B) = \frac{13}{52} + \frac{4}{52} - \frac{1}{52} = \frac{16}{52} = \frac{4}{13}.$$

3.3 条件付き確率と独立

ある結果が生じた条件のもとで確率を知りたいときがあります．これを「条件付き確率」といいます．条件が影響するかしないかも計算には影響してきます．これを「独立」という概念で表現します．この 2 つは確率論において重要な概念です．

ある事象 A が起こったという条件のもとで事象 B が起こる事象を $B|A$ と書きます．この確率 $P(B|A)$ を次のように定義します．

定義 3.1 (条件付き確率) 2 つの事象 A, B に対して，条件 A のもとでの B の条件付き確率を
$$P(B|A) = \frac{P(B \cap A)}{P(A)}$$
と定義する．ただし，$P(A) > 0$.

実は，事象 A を 1 つ固定すれば $P(B|A)$ は確率の公理 (ii)-(a),(b),(c) をみたす[3]ことがわかります．この事実は，たとえば，条件付き期待値やマルチンゲールなどのアドバンスな確率・統計を学ぶときに重要性を増します．

条件付き確率の定義から，次が得られます．

---
[3] このことを言い換えれば，「$(\Omega, \mathcal{F}, P)$ を確率空間として，事象 A (ただし $P(A) > 0$) を 1 つ固定し，$P_A(B) = P(B|A)$ とおいたとき，$(\Omega, \mathcal{F}, P_A)$ は確率空間になる」と表現したりします．この表現は必ずしもわからなくても構いません．

定理 3.4

(i) **乗法定理**：事象 A, B に対して，
$$P(A \cap B) = P(A)P(B|A) = P(B)P(A|B).$$

(ii) **全確率の公式**：標本空間 Ω が互いに排反な事象 $A_1, A_2, \cdots A_n$ により分割される，すなわち，$\Omega = A_1 \cup A_2 \cup A_3 \cup \cdots \cup A_n$ ならば，任意の事象 E に対して，
$$P(E) = \sum_{i=1}^{n} P(A_i)P(E|A_i).$$

証明

(i) 1つ目の等式は，条件付き確率の定義より．2つ目の等式も定義より，$P(B) > 0$ のもとで $P(A|B) = P(A \cap B)/P(B)$ だから成り立ちます．乗法定理のイメージは，「A と B が同時に起こる確率は，時間軸を考えて，まず A が起こる確率と，次に B が起こる条件付き確率の積に等しくなる」です．A, B の起こる順番を入れ替えても同じです．

(ii) 事象 E は，
$$E = \Omega \cap E = (A_1 \cap E) \cup (A_2 \cap E) \cup \cdots \cup (A_n \cap E)$$
と表すことができます．

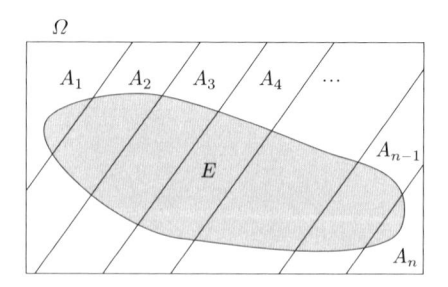

したがって，公理 3.1(ii)-(c) および乗法定理より
$$P(E) = \sum_{i=1}^{n} P(A_i \cap E) = \sum_{i=1}^{n} P(A_i)P(E|A_i).$$

では，演習です．おそらく乗法定理を意識せずに通常の感覚でも計算できる人もいます．これは，事象を定義して乗法定理を使う練習です．

例題 3.2 (乗法定理) 10本中3本のあたりがあるくじがあります．A さんと B さんがくじを引きます．A さん，B さんの順でくじを引きます．A さんは引いたくじを元に戻しません（**非復元抽出**といいます）．A さんがあたる事象を A，B さんがあたる事象を B とします．
  (1) A さんのあたる確率 $P(A)$，はずれる確率 $P(A^c)$ を求めよ．
  (2) B さんのあたる確率 $P(B)$ を求めよ．

解答
(1) A さんがあたる場合の数は3通りです．すべての場合の数は10通りです．したがって，$P(A) = \frac{3}{10}$．同様に考えて，はずれる確率は，$P(A^c) = \frac{7}{10}$．
(2) B さんがあたるのは次の2つのケースがあります．
  (a) A さんがあたり，B さんがあたる．事象で書けば $A \cap B$ です．
  (b) A さんがはずれ，B さんがあたる．事象で書けば $A^c \cap B$ です．
  $A \cap B$ と $A^c \cap B$ は同時に起こりえないので排反な事象です．したがって，
  $$P(B) = P(A\text{さんがあたり}, B\text{さんがあたり})$$
  $$+ P(A\text{さんがはずれ}, B\text{さんがあたる})$$
  $$= P(A \cap B) + P(A^c \cap B)$$
  $$= P(A)P(B|A) + P(A^c)P(B|A^c) \quad (\text{乗法定理より})$$
  $$= \frac{3}{10} \times \frac{2}{9} + \frac{7}{10} \times \frac{3}{9}$$
  $$= \frac{3}{10}.$$
この例題は，くじを1人につき1枚ずつしか購入できないときには，くじにあたる確率は購入する順番には影響されないことを意味します．確率的には，宝くじの販売所に我先にと並ぶ必要はないわけです．

乗法定理も3つ以上の事象に対して拡張できます．

> **定理 3.5 (一般化された乗法定理)** 事象 $A_1, \cdots, A_n$ に対して,
> $$P(A_1 \cap \cdots \cap A_n) = P(A_1)P(A_2|A_1)P(A_3|A_1 \cap A_2)$$
> $$\times \cdots \times P(A_n|A_1 \cap A_2 \cap \cdots \cap A_{n-1}).$$

証明 $A_1 \cap A_2 \cap \cdots \cap A_{n-1}$ を1つの事象と捉えます. 乗法定理より

$$P(A_1 \cap \cdots \cap A_n) = P(A_1 \cap A_2 \cap \cdots \cap A_{n-1})$$
$$\times P(A_n|A_1 \cap A_2 \cap \cdots \cap A_{n-1}).$$

次に $A_1 \cap A_2 \cap \cdots \cap A_{n-2}$ を1つの事象と捉えます. 再び乗法定理を上式右辺第1項に適用すると,

$$P(A_1 \cap \cdots \cap A_n) = P(A_1 \cap A_2 \cap \cdots \cap A_{n-2})$$
$$\times P(A_{n-1}|A_1 \cap A_2 \cap \cdots \cap A_{n-2})$$
$$\times P(A_n|A_1 \cap A_2 \cap \cdots \cap A_{n-1}).$$

これを繰り返すと定理が得られます.

次に条件付き確率の定義によって, 事象の独立を定義します.

> **定義 3.2 (事象の独立)** 2つの事象 A, B に対して,
> $$P(A \cap B) = P(A)P(B)$$
> または, (条件付き確率の定義より同値であることがわかり)
> $$P(B|A) = P(B|A^c) = P(B)$$
> であるとき, 事象 A と B は**独立**であるという. 独立でないとき**従属**であるという.

$P(B|A) = P(B|A^c) = P(B)$ は, A が起こっても, 起こらなくても B が起こる確率は変わらないことを意味します. 事象 A が起こることは事象 B が起こることに何ら影響を及ぼさないというイメージです.

ところで, 事象の「独立」と事象の「排反」を混乱しないように留意しましょう. A, B が同時に起こらないとき排反といいます. 次の例題のように独立か

どうかの確認は，瞬間的に判断しようとすると戸惑い，定義に戻って計算しないと判別できないときがあります．

> **例題 3.3 (独立)** トランプ 52 枚から 1 枚を取り出す．ハートが出る事象 A とエースが出る事象 B は独立かどうか？

解答 定義に従って確かめてみます．
$$P(A \cap B) = \frac{1}{52},\ P(A) = \frac{1}{4},\ P(B) = \frac{4}{52}$$
ですから，$P(A \cap B) = P(A)P(B)$ が成り立ち，独立の定義をみたします．ハートが出ることとエースが出ることは同時に起こりえます．よって，排反ではありません．

3 つ以上の事象に対しても同様に独立を定義します．1 度読んだだけではピンとこない表現ですが，正確に記すと次のようになります．

> **定義 3.3 (3 つ以上の事象の独立)** 事象 $A_1, A_2, \cdots, A_n$ が互いに独立であるとは，$\{1, 2, \cdots, n\}$ の任意の部分集合 $\{i_1, i_2, \cdots, i_k\}, k = 2, 3, \cdots, n$ に対して，$P(A_{i_1} \cap \cdots \cap A_{i_k}) = P(A_{i_1}) \times \cdots \times P(A_{i_k})$ が成り立つことである．

3.4 ベイズの定理

条件付き確率の定義と，乗法定理，全確率の公式からベイズの定理が導かれます．これを使うと興味深いことに結果から原因の確率が推定できます．

> **定理 3.6 (ベイズの定理)** すべての $i, j = 1, 2, \cdots, n$ に対して $A_i \cap A_j = \emptyset, i \neq j$ であり，$\Omega = A_1 \cup A_2 \cup \cdots \cup A_n$ であるとき，任意の事象 E に対して，
> $$P(A_i|E) = \frac{P(A_i)P(E|A_i)}{\sum_{j=1}^{n} P(A_j)P(E|A_j)}.$$

$P(A_i)$ を**事前確率**と呼びます．$P(A_i|E)$ は，事象 E が起こったことがわかった後に A_i が起こる確率ですから，これを**事後確率**と呼んでいます．

証明

$$P(A_i|E) = \frac{P(A_i \cap E)}{P(E)} \quad \text{(条件付き確率の定義より)}$$

$$= \frac{P(A_i)P(E|A_i)}{P(E)} \quad \text{(乗法定理より)}$$

$$= \frac{P(A_i)P(E|A_i)}{\sum_{j=1}^{n} P(A_j)P(E|A_j)} \quad \text{(全確率の公式より)}$$

ベイズの定理を理解するには，問題を解くことが効果的です．「習うより慣れろ」です．演習でベイズの定理の理解を得ましょう．

例題 3.4 (ベイズの定理) あるウイルスに感染している人の割合は1%であることが統計的にわかっているとする．ウイルスに感染している人の90%が，検査で陽性反応（ウイルスをもっていると判断される）を示す．ウイルスに感染していない人の0.5%が，検査で陽性反応を示す．この検査を受けたある人が陽性反応を示したとき，本当はウイルスに感染していない確率を求めよ．

解答 ベイズの定理を適用するときには，事象を明らかにすることが，混乱を回避しやすくします．ここでは事象を次のようにおいてみます．

A_1: ウイルスに感染していない． A_2: ウイルスに感染している．
E: 陽性反応． E^c: 陰性反応．

$\Omega = A_1 \cup A_2$ です．ベイズの定理から，求める確率 $P(A_1|E)$ は，

$$P(A_1|E) = \frac{P(A_1)P(E|A_1)}{\sum_{j=1}^{2} P(A_j)P(E|A_j)}$$

$$= \frac{P(A_1)P(E|A_1)}{P(A_1)P(E|A_1) + P(A_2)P(E|A_2)}.$$

問題文から，

$$P(A_1) = 0.99,\ P(A_2) = 0.01,\ P(E|A_1) = 0.005,\ P(E|A_2) = 0.9$$

です．これらを上式に代入すればOKです．

$$P(A_1|E) = \frac{0.99 \times 0.005}{0.99 \times 0.005 + 0.01 \times 0.9} \approx 0.355.$$

ここで，$\approx$ は近似の記号です．

3.4 ベイズの定理

この例題のようにベイズの定理を使えば，陽性反応か陰性反応かという「結果」がわかったときに，その結果を引き起こしたウイルスに感染しているか感染していないかという「原因」の確率を計算できます．さて，最後はちょっと愉快な例題です．

> **例題 3.5 (モンティ・ホール問題)** 3 つのドア A, B, C の後ろには，それぞれ自動車 1 台とヤギ 2 頭が隠されている．挑戦者はドアを 1 つ選ぶ．司会者（モンティ）は，挑戦者の選んだドア以外のはずれている（ヤギがいる）ドアを開ける．挑戦者があたり（自動車）を選んでいるときは，残りの 2 つのドアの 1 つを無作為に開ける．モンティは，挑戦者に「選んだドアを変えてもいいですよ」と声をかける．変える方がよいか？ 変えないほうがよいか？

解答 まずは事象を定義しましょう．A, B, C をドアの後ろに自動車があるという事象とします．A, B, C は互いに排反で $\Omega = A \cup B \cup C$ であることに注意（これらはベイズの定理を適用する条件になります）しましょう．$\mathrm{P}(A) = \mathrm{P}(B) = \mathrm{P}(C) = \frac{1}{3}$ です．さて，挑戦者はドア A を選び，司会者はドア B を選びヤギがいることを示したとしましょう．その事象を G と表すことにします．このときドアを変えずに自動車があたる確率は $\mathrm{P}(A|G)$ であり，変えてドア C を選んだときに自動車があたる確率は $\mathrm{P}(C|G)$ です．

それぞれをベイズの定理から計算すると，

$$\mathrm{P}(A|G) = \frac{\mathrm{P}(G|A)\mathrm{P}(A)}{\mathrm{P}(G|A)\mathrm{P}(A) + \mathrm{P}(G|B)\mathrm{P}(B) + \mathrm{P}(G|C)\mathrm{P}(C)}$$

$$= \frac{\frac{1}{2} \times \frac{1}{3}}{\frac{1}{2} \times \frac{1}{3} + 0 \times \frac{1}{3} + 1 \times \frac{1}{3}} = \frac{1}{3}.$$

$$\mathrm{P}(C|G) = \frac{\mathrm{P}(G|C)\mathrm{P}(C)}{\mathrm{P}(G|A)\mathrm{P}(A) + \mathrm{P}(G|B)\mathrm{P}(B) + \mathrm{P}(G|C)\mathrm{P}(C)}$$

$$= \frac{1 \times \frac{1}{3}}{\frac{1}{2} \times \frac{1}{3} + 0 \times \frac{1}{3} + 1 \times \frac{1}{3}} = \frac{2}{3}.$$

ドアを変えれば，あたる確率は倍になるという結果です．意外ですか？

3章の演習問題

3.1 (確率空間) コイン1枚を投げたときの確率空間 $(\Omega, \mathcal{F}, \mathrm{P})$ を記せ．ただし，H を表，T を裏が出る根元事象とする．

3.2 (条件付き確率) ある多国籍レストランで，夫が和食を注文する確率は 0.5，妻が和食を注文する確率は 0.6．夫が和食を注文したことがわかったとき，妻が和食を注文する確率は 0.9 であるという．次を求めよ

(1) 夫婦がともに和食を注文する確率

(2) 夫婦のうち，少なくとも一方が和食を注文する確率

(3) 妻が和食を注文したことがわかったとき，夫が和食を注文する確率

3.3 (事象の独立) サイコロ1個を2回投げるとき，1回目に2が出る事象を A，2回目に5以上の目が出る事象を B とする．A と B は独立か？

3.4 (条件付き確率) A, B は互いに排反な事象で，$\mathrm{P}(A) = 0.1$, $\mathrm{P}(B) = 0.9$, $\mathrm{P}(C|A) = 0.5$, $\mathrm{P}(C|B) = 0.7$ であるとき，$\mathrm{P}(A|C)$ を求めよ．

3.5 (ベイズの定理) ある製品を，工場 A が 10%，工場 B が 30%，工場 C が 60% の割合で生産している．不良品率は工場 A が 3%，工場 B は 2%，工場 C は 1% であるとする．1つの製品を検査したら不良品であった．この不良品を生産したのが工場 A である確率を求めよ．

4 確率変数と確率分布

確率変数を導入して，確率分布，期待値，分散，積率母関数について学びます．

4.1 確率変数と確率分布

サイコロ 1 個を投げる試行の根元事象は「1 が出る」… 「6 が出る」です．1 が出る根元事象を「$X=1$」, 2 が出る根元事象を「$X=2$」, …, 6 が出る根元事象を「$X=6$」と表すとします．このとき，確率は

$$P(X=1) = \cdots = P(X=6) = \frac{1}{6}$$

と表すことができます．事象を数値化できるので扱いやすくなります．このように根元事象に実数値を対応させる関数 X を確率変数といいます．変数と呼ぶのは，確率 P に対して X が変数のはたらきをすることからきています．

定義 4.1 (確率変数) $(\Omega, \mathcal{F}, P)$ を確率空間とするとき，Ω 上で定義された実数値関数 $X = X(\omega), \omega \in \Omega$ を**確率変数**という．

Ω 上で定義された実数値関数 X とは，Ω の要素を実数へ対応させた関数 X という意味です．たとえば，サイコロを投げる試行で，ω_i を i の目が出る根元事象とします．ω_i に i を対応させる関係が，$X(\omega_i) = i$ です．

慣れる必要がありますが，確率変数を用いて事象を表すこともします．たとえば，

$$1 \text{ の目が出る事象 } \{\omega_1\} \text{ は } \{\omega : X(\omega) = 1\}$$

です.「$X(\omega) = 1$ をみたす ω の集合」という意味です.同様に,

 1, 2, 3 の目が出る事象 $\{\omega_1, \omega_2, \omega_3\}$ は $\{\omega : X(\omega) = 1$ または 2 または $3\}$

と書けます.さらに $\{\omega : X(\omega)$ は自然数,かつ,$X(\omega) \leq 3\}$ とも書いたりします.「$X(\omega)$ は自然数であり,$X(\omega) \leq 3$ をみたす ω の集合」という意味です.なお,一般に集合 $\{\omega : X(\omega) \leq x\}$ が事象になるためには,事象全体の集合 $\mathcal{F}$ に属していなければなりませんが,本書では常に属しているとします.

 確率変数に対して,分布関数を定義しましょう.

定義 4.2 (分布関数) $(\Omega, \mathcal{F}, \mathrm{P})$ を確率空間とする.Ω 上で定義された確率変数 X に対して,

$$F(x) = \mathrm{P}(\{\omega : X(\omega) \leq x\}), \quad -\infty < x < \infty$$

によって定まる関数 $F(x)$ を X の(**確率**)**分布関数**という.

簡略的に $\mathrm{P}(\{\omega : X(\omega) \leq x\})$ を $\mathrm{P}(X \leq x)$ と書きます.

 定義から次の性質が成り立ちます.

(i) $F(x)$ は x についての非減少関数.

(ii) $F(-\infty) = 0$, $F(+\infty) = 1$.

では,確率変数,分布関数の例を見てみましょう.

例 4.1 (分布関数) サイコロ 1 個を投げて出る目を確率変数 X とするとき,

x	1	2	3	4	5	6
$\mathrm{P}(X = x)$	$\frac{1}{6}$	$\frac{1}{6}$	$\frac{1}{6}$	$\frac{1}{6}$	$\frac{1}{6}$	$\frac{1}{6}$
$F(x)$	$\frac{1}{6}$	$\frac{2}{6}$	$\frac{3}{6}$	$\frac{4}{6}$	$\frac{5}{6}$	$\frac{6}{6}$

このような表を**確率分布表**といいます.通常は上の 2 行だけを書きます.

 連続ではない値をとる確率変数を離散型確率変数といいます.

定義 4.3 (離散型確率変数・確率質量関数) サイコロ投げやコイン投げのように確率変数 X が離散の値をとるとき，**離散型確率変数**という．離散型確率変数 X が $x_1, x_2, \cdots, x_n$ の値をとるときに，特に

$$P(X = x_i) = p_i, \quad i = 1, 2, \cdots, n$$

を**確率質量関数**（確率関数，質量関数ともいいます）と呼ぶ．

サイコロ 1 個を投げる例では確率質量関数は $p_i = \frac{1}{6}, i = 1, 2, \cdots, 6$ となります．確率質量関数が与えられれば，分布関数は

$$F(x) = \sum_{\{i : x_i \leq x\}} p_i$$

で与えられます．このように確率質量関数が得られれば分布関数が得られ，逆もいえます．これから，「確率変数 X の確率質量関数が p_i で与えられる」を同値の意味で「確率変数 X の確率分布が p_i で与えられる」という表現をします．同じことなので混乱しないでください．

確率は負の値をとりませんし，すべての確率の和は 1 ですから，

$$p_i \geq 0 \ (i = 1, 2, \cdots, n), \quad \sum_{i=1}^{n} p_i = 1$$

が成り立ちます．

例 4.2 (確率質量関数) コイン 1 枚を 3 回投げて，表が出る回数を X とする．X の確率質量関数と分布関数を求めてみましょう．X は $0, 1, 2, 3$ のいずれかの値をとります．表を○，裏を×とすれば，3 回中 1 回表が出る出方とそれが起こる確率は

$$
\begin{array}{ccc}
\bigcirc \times \times & \cdots & \text{確率} \ \dfrac{1}{2} \cdot \left(\dfrac{1}{2}\right)^2 \\
\times \bigcirc \times & \cdots & \text{確率} \ \dfrac{1}{2} \cdot \dfrac{1}{2} \cdot \dfrac{1}{2} \\
\underbrace{\times \times \bigcirc}_{{}_3C_1 \text{通り}} & \cdots & \text{確率} \ \left(\dfrac{1}{2}\right)^2 \cdot \dfrac{1}{2}
\end{array}
$$

です．この場合の数は $1, 2, 3$ の 3 回から表が出る 1 回を取る組み合わせの

数に等しく $_3C_1$ です.同様に,3 回中 r 回表が出る場合の数は $_3C_r$ です.その場合のそれぞれにおいて表が r 回出る確率は $\left(\frac{1}{2}\right)^r$,裏が出る確率は $\left(\frac{1}{2}\right)^{3-r}$ ですから,確率質量関数は

$$p_r = \mathrm{P}(X = r) = {_3C_r} \left(\frac{1}{2}\right)^r \left(\frac{1}{2}\right)^{3-r} = {_3C_r} \left(\frac{1}{2}\right)^3, \ r = 0, 1, 2, 3.$$

したがって,分布関数は

$$F(r) = \mathrm{P}(X \leq r) = \sum_{i=0}^{r} \mathrm{P}(X = i) = \sum_{i=0}^{r} {_3C_i} \left(\frac{1}{2}\right)^3, \ r = 0, 1, 2, 3$$

となります.このように離散型確率変数 X の場合,確率質量関数 p_r を与えれば分布関数が定まります.

次は連続型の確率変数です.

定義 4.4 (連続型確率変数・確率密度関数)　分布関数 $F(x) = \mathrm{P}(X \leq x)$ が,ある非負関数 f により

$$F(x) = \int_{-\infty}^{x} f(t)\,dt$$

と書けるとき,X を **連続型確率変数**,f を X の **確率密度関数**,または,単に **密度関数** と呼ぶ.

全事象の確率は 1 なので,密度関数 f は

$$\int_{-\infty}^{\infty} f(t)\,dt = 1$$

をみたさなければなりません.密度関数を用いれば,$a \leq X \leq b$ である確率は

$$\mathrm{P}(a \leq X \leq b) = \int_{a}^{b} f(x)\,dx$$

と計算でき,確率は密度関数の積分,すなわちグラフの面積に等しくなります.

密度関数がわかれば分布関数がわかります.逆もいえます.定義 4.4 から

$$\frac{dF(x)}{dx} = f(x)$$

です.なお,連続型確率変数の場合,すべての点 a に対して $\mathrm{P}(X = a) =$

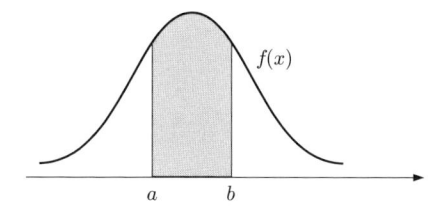

図 **4.1** 確率＝密度関数のグラフの面積

$\int_a^a f(x)\,dx = 0$ ですから，
$$\mathrm{P}(a \leq X \leq b) = \mathrm{P}(a < X < b) = \mathrm{P}(a \leq X < b) = \mathrm{P}(a < X \leq b)$$
です．ときどき質問を受けます．留意しておきましょう．

密度関数の性質を使う簡単な例題を見てみましょう．

例題 4.1 (密度関数) 次の $f(x)$ が密度関数となるように定数 c を見つけよ．
$$f(x) = \begin{cases} cx(2-x), & 0 < x < 2 \\ 0, & \text{その他} \end{cases}$$

解答 $\int_0^2 f(x)\,dx = 1$ より，次のように定まります[1]．
$$\int_0^2 f(x)\,dx = \int_0^2 cx(2-x)\,dx = c\left[x^2 - \frac{x^3}{3}\right]_0^2 = \frac{4}{3}c = 1.$$
したがって，$c = \frac{3}{4}$．

例題 4.2 (分布関数) 確率変数 X の密度関数が次のとき，分布関数 $F(x)$ を求めよ．
$$f(x) = \begin{cases} 1, & 0 < x < 1 \\ 0, & \text{その他} \end{cases}$$

---

[1] cx^n (c は定数) の積分の公式：$\int_a^b cx^n\,dx = c\left[\frac{x^{n+1}}{n+1}\right]_a^b = c\left(\frac{b^{n+1}}{n+1} - \frac{a^{n+1}}{n+1}\right)$.

解答 定義より，
$$F(x) = P(X \leq x) = \int_0^x 1\, dt = [t]_0^x = x,\ 0 < x < 1.$$

確率変数 X がこの密度関数または分布関数をもつ確率分布を $(0,1)$ 上の**一様分布**と呼び，$X \sim U(0,1)$ と書きます．

4.2 期待値と分散

サイコロ1個を投げたときに出る目 X の平均は，次の確率分布表から

x	1	2	3	4	5	6
$P(X=x)$	$\frac{1}{6}$	$\frac{1}{6}$	$\frac{1}{6}$	$\frac{1}{6}$	$\frac{1}{6}$	$\frac{1}{6}$

$$\text{出る目 } X \text{ の平均} = 1 \times \frac{1}{6} + 2 \times \frac{1}{6} + \cdots + 6 \times \frac{1}{6} = \frac{7}{2}$$

と計算します．この平均を期待値とも呼び，次のように定義します．

定義 4.5 (期待値)

(i) 離散型確率変数 X の確率質量関数が $p_i = P(X = x_i),\ i = 1, 2, \cdots, n$ で与えられているとき，
$$E[X] = \sum_{i=1}^n x_i p_i = x_1 p_1 + x_2 p_2 + \cdots + x_n p_n \tag{4.1}$$
を X の**期待値**，または，**平均**という．

(ii) 連続型確率変数 X の密度関数 f が与えられているとき，
$$E[X] = \int_{-\infty}^{\infty} x f(x)\, dx \tag{4.2}$$
を X の**期待値**，または，**平均**という．

期待値 $E[X]$ を μ と表すこともあります．ところで，(4.1) で $n = \infty$ のときには無限級数となり，収束（有限の極限値が存在）するとは限りません．(4.2) でも，この積分が有限であるとは必ずしも限りません（期待値が存在することを，$E[X] < \infty$ と書いたりします）．ともあれ計算の難易度はさまざまですが，期待値は定義から計算すれば得られます．

例題 4.3 (期待値の計算) 確率変数 X の密度関数 f が
$$f(x) = 1,\ 0 < x < 1,$$
x がその他の範囲では $f(x) = 0$ で与えられているとき，期待値 $E[X]$ は？

解答 定義より，
$$E[X] = \int_0^1 x dx = \left[\frac{x^2}{2}\right]_0^1 = \frac{1}{2}.$$

さて，期待値を拡張してみましょう．たとえば，$g(x) = x^2$ という関数で，x に確率変数 X を代入すると，新たな確率変数 $g(X) = X^2$ を作ることができます．そして，$P(X = x) = P(g(X) = g(x))$ です．サイコロ 1 個投げの場合，出る目を X とすると，$g(X)$ の確率分布表は次になります．

x	1	2	3	4	5	6
$g(x)$	1	4	9	16	25	36
$P(g(X) = g(x))$	$\frac{1}{6}$	$\frac{1}{6}$	$\frac{1}{6}$	$\frac{1}{6}$	$\frac{1}{6}$	$\frac{1}{6}$

このとき $g(X) = X^2$ の期待値 $E[g(X)]$ は，次のように計算します．
$$E[g(X)] = 1 \times \frac{1}{6} + 4 \times \frac{1}{6} + \cdots + 36 \times \frac{1}{6} = \frac{91}{6}.$$

これを一般化します．離散型確率変数 X の確率質量関数が $p_i = P(X = x_i)$，$i = 1, 2, \cdots, n$ で与えられているとします．**R** 上の実数値関数 $g(x)$ が与えられたとき，確率変数 $g(X)$ のとりうる値は，$g(x_1), g(x_2), \cdots, g(x_n)$ であり，その確率質量関数は $p_i = P(X = x_i) = P(g(X) = g(x_i))$ で与えられます．連続型確率変数も考え方は同様です．したがって，新しい確率変数 $g(X)$ の期待値は次で得られます．

定理 4.1 (期待値 $E[g(X)]$)　$\mathbf{R}$ 上の実数値関数 $g(x)$ に対して，$g(X)$ の期待値 $E[g(X)]$ は，

(i) X が確率質量関数 $p_i = \mathrm{P}(X = x_i)$ をもつ離散型確率変数のとき，
$$E[g(X)] = \sum_{i=1}^{n} g(x_i) p_i.$$

(ii) X が確率密度関数 f をもつ連続型確率変数のとき，
$$E[g(X)] = \int_{-\infty}^{\infty} g(x) f(x)\, dx.$$

簡単な計算例を挙げます．

例題 4.4 (期待値の計算)　サイコロ 1 個を投げて，出た目の 5 倍を賞金としてもらえるとするとき，期待賞金額は？

解答　出る目を X とします．期待賞金額は $E[5X]$ です ($g(x) = 5x$)．よって，
$$E[5X] = (1 \times 5) \times \frac{1}{6} + (2 \times 5) \times \frac{1}{6} + \cdots + (6 \times 5) \times \frac{1}{6} = \frac{35}{2}.$$

例題 4.5 (期待値の計算)　確率変数 X の密度関数 f が
$$f(x) = 1,\ 0 < x < 1,$$
x がその他の範囲では $f(x) = 0$ で与えられているとき，$2X^2 + 3$ の期待値 $E[2X^2 + 3]$ は？

解答　定理 4.1 より，
$$E[2X^2 + 3] = \int_0^1 (2x^2 + 3) \times 1\, dx = \left[\frac{2}{3} x^3 + 3x\right]_0^1 = \frac{2}{3} + 3 = \frac{11}{3}.$$

期待値に関して次のよい性質が成り立ちます．

> **定理 4.2 (期待値の線形性)** X を確率変数，g, h を $\mathbf{R}$ 上の実数値関数とする．このとき，
> $$E[g(X) + h(X)] = E[g(X)] + E[h(X)].$$
> 特に a, b を定数とすると，
> $$E[aX + b] = aE[X] + b.$$

証明 X が離散型の場合は，
$$E[g(X) + h(Y)] = \sum_{i=1}^{n} (g(x_i) + h(x_i)) p_i = \sum_{i=1}^{n} g(x_i) p_i + \sum_{i=1}^{n} h(x_i) p_i$$
$$= E[g(X)] + E[h(X)].$$
X が連続型の場合は
$$E[g(X) + h(Y)] = \int_{-\infty}^{\infty} (g(x) + h(x)) f(x)\, dx$$
$$= \int_{-\infty}^{\infty} g(x) f(x)\, dx + \int_{-\infty}^{\infty} h(x) f(x)\, dx$$
$$= E[g(X)] + E[h(X)].$$
$g(x) = ax, h(x) = b$ とおくと，$E[aX + b] = aE[X] + b$.

分散を定義しましょう．X の期待値を μ とします．$g(x) = (x - \mu)^2$ とします．期待値 $E[g(X)] = E[(X - \mu)^2]$ を考えることができます．$(X - \mu)$ は X と平均の離れ度合いを示し，**偏差**と呼ばれます．$E[(X - \mu)^2]$ は「偏差の2乗の期待値」です．これを分散と定義します．

定義 4.6 (分散) 確率変数 X の期待値を μ とする．X の**分散**を $V[X]$ と書き，
$$V[X] = E[(X - \mu)^2]$$
と定義する．また，$V[X]$ を σ^2 と表す．

(i) X が確率質量関数 $p_i, i = 1, 2, \cdots, n$ をもつ離散型確率変数のとき，
$$V[X] = \sum_{i=1}^{n} (x_i - \mu)^2 p_i.$$

(ii) X が密度関数 $f(x)$ をもつ連続型確率変数のとき，
$$V[X] = \int_{-\infty}^{\infty} (x - \mu)^2 f(x)\, dx.$$

分散の正の平方根 $\sigma = \sqrt{V[X]}$ を**標準偏差**と呼びます．分散も定義から計算できますが，次の公式を使うと少し便利です．

定理 4.3 (分散の公式)

(i) 確率変数 X の期待値を μ とする．
$$V[X] = E[X^2] - \mu^2.$$

(ii) 定数 a, b に対して，
$$V[aX + b] = a^2 V[X].$$

証明

(i) 分散の定義からも証明できますが，定理 4.2 を使えば，離散型と連続型確率変数の場合を同時に証明できます．

$$\begin{aligned}
V[X] &= E[X^2 - 2\mu X + \mu^2] \\
&= E[X^2] - 2\mu E[X] + \mu^2 \quad (\text{定理 4.2 より}) \\
&= E[X^2] - 2\mu^2 + \mu^2 \quad (E[X] = \mu \text{より}) \\
&= E[X^2] - \mu^2.
\end{aligned}$$

(ii) $\quad V[aX+b] = E[\{(aX+b)-(a\mu+b)\}^2]$

$\qquad\qquad = E[a^2X^2 - 2a^2X\mu + a^2\mu^2]$

$\qquad\qquad = a^2 E[X^2] - 2a^2\mu E[X] + a^2\mu^2 \quad$ (定理 4.2 より)

$\qquad\qquad = a^2\{E[X^2] - \mu^2\} \quad (E[X]=\mu$ より)

$\qquad\qquad = a^2 V[X] \qquad\qquad$ ((i) より)

例題 4.6 (離散型確率変数の平均, 分散) 確率変数 X の確率分布が

x	−1	0	1	3
$P(X=x)$	0.1	0.4	0.3	0.2

のとき
 (a) $E[X], E[X^2], V[X]$ を求めよ.
 (b) $Y = 2X - 1$ のとき, $E[Y], V[Y]$ を求めよ.

解答
 (a) 期待値の定義と分散の公式 (i) より

$$E[X] = (-1)\times 0.1 + 0 \times 0.4 + 1 \times 0.3 + 3 \times 0.2 = 0.8,$$
$$E[X^2] = (-1)^2 \times 0.1 + 0^2 \times 0.4 + 1^2 \times 0.3 + 3^2 \times 0.2 = 2.2,$$
$$V[X] = E[X^2] - \{E[X]\}^2 = 2.2 - 0.8^2 = 1.56.$$

 (b) 期待値の線形性 (定理 4.2) と分散の公式 (ii) より,

$$E[Y] = E[2X-1] = 2E[X] - 1 = 0.6,$$
$$V[Y] = V[2X-1] = 2^2 V[X] = 4 \times 1.56 = 6.24.$$

例題 4.7 (分散の公式) 確率変数 X が $(0,1)$ 上の一様分布に従う, すなわち, X の密度関数 f が

$$f(x) = 1,\ 0 < x < 1,$$

x がその他の範囲では $f(x) = 0$ で与えられているとき, 分散の公式を使って $V[X]$ と $V[2X+3]$ を求めよ.

解答 すでに計算したように，$\mu = \frac{1}{2}$ です．

$$E[X^2] = \int_0^1 x^2 \times 1 \, dx = \left[\frac{1}{3}x^3\right]_0^1 = \frac{1}{3}.$$

したがって，

$$V[X] = E[X^2] - \mu^2 = \frac{1}{3} - \left(\frac{1}{2}\right)^2 = \frac{1}{12}.$$

定理 4.3(ii) より

$$V[2X+3] = 2^2 V[X] = \frac{4}{12} = \frac{1}{3}.$$

4.3 積率母関数

確率変数 X に対して，e^{tX} の期待値 $E[e^{tX}]$ を積率母関数[2]といいます．必ずしも積率母関数が存在するとは限りませんが，期待値，分散をその定義に基づいて計算しにくいときに，積率母関数から期待値，分散を求めることができる場合があり，しばしば有効です．

> **定義 4.7 (積率母関数)** 確率変数 X に対して，
> $$M_X(t) = E[e^{tX}], \quad -\infty < t < \infty$$
> と定義し，この期待値が存在して有限であるときに，$M_X(t)$ を X の**積率母関数**という．

X が離散型確率変数のときは，確率分布 $p_i = \mathrm{P}(X = x_i), i = 1, 2, \cdots, n$ に対して

$$M_X(t) = \sum_{i=1}^n e^{tx_i} p_i \tag{4.3}$$

により計算します．X が連続型確率変数のときは，密度関数 f に対して，

$$M_X(t) = \int_{-\infty}^{\infty} e^{tx} f(x) \, dx \tag{4.4}$$

により計算します．

---

[2] 解析では，ラプラス変換 $E[e^{-tX}]$ を使いますが，確率・統計ではこちらを多く使います．

さて，X が離散のとき，積率母関数を t で微分すると，
$$\frac{d}{dt}M_X(t) = \sum_{i=1}^{n} x_i e^{tx_i} p_i$$
ですから[3]，$t=0$ とすると
$$\frac{d}{dt}M_X(0) = \sum_{i=1}^{n} x_i p_i = E[X]$$
を得ます．同様に X が連続のとき，
$$\frac{d}{dt}M_X(t) = \int_{-\infty}^{\infty} xe^{tx} f(x)\,dx.$$
$t=0$ とすると
$$\frac{d}{dt}M_X(0) = \int_{-\infty}^{\infty} xf(x)\,dx = E[X]$$
を得ます．さらに，X が離散，連続のとき，それぞれ
$$\frac{d^2}{dt^2}M_X(t) = \sum_{i=1}^{n} x_i^2 e^{tx_i} p_i, \quad \frac{d^2}{dt^2}M_X(t) = \int_{-\infty}^{\infty} x^2 e^{tx} f(x)\,dx.$$
$t=0$ とすると，X が離散，連続どちらの場合にも
$$\frac{d^2}{dt^2}M_X(0) = E[X^2]$$
を得ます．同様に $M_X(t)$ が t について k 回連続微分可能なとき，微分を k 回繰り返し，$t=0$ とすると
$$\frac{d^k}{dt^k}M_X(0) = E[X^k]$$
を得ます．$E[X^k]$ を X の k 次の積率 (moment) と呼びます．これが積率母関数という呼び名の由来です．これと期待値の定義，定理 4.3 から次を得ます．

定理 4.4 (積率)
(i) $\frac{d^k}{dt^k}M_X(0) = E[X^k],\ k=1,2,\cdots$．
(ii) $E[X] = M'_X(0)$．
(iii) $V[X] = M''_X(0) - (M'_X(0))^2$．

---

[3] $e^{f(t)}$ を t で微分すると，$\frac{d}{dt}e^{f(t)} = f'(t)e^{f(t)}$ です．

さっそく，使ってみましょう．定義からではなく積率母関数から期待値と分散を計算する例です．

例題 4.8 (積率母関数，期待値，分散) 確率変数 X の密度関数 f が，
$$f(x) = e^{-x},\ x > 0,$$
$x \leq 0$ では $f(x) = 0$ であるとき，積率母関数を使って $E[X], V[X]$ を求めよ．

解答 まず[4]，
$$M_X(t) = \int_0^\infty e^{tx} e^{-x}\,dx = \int_0^\infty e^{(t-1)x}\,dx = \frac{1}{t-1}\left[e^{(t-1)x}\right]_0^\infty.$$
$t = 0$ の近くで積率母関数の微分が計算できればよいので，$t < 1$ とします．このとき
$$M_X(t) = \frac{1}{t-1}\left[e^{(t-1)x}\right]_0^\infty = \frac{1}{1-t}.$$
したがって[5]，
$$M_X'(t) = \frac{1}{(1-t)^2},\quad M_X''(t) = \frac{2}{(1-t)^3}.$$
よって，
$$E[X] = M_X'(0) = 1,\ V[X] = M_X''(0) - (M_X'(0))^2) = 2 - 1 = 1.$$

実は，期待値や分散を計算できること以上に積率母関数に関しての重要な結果は次です．証明は，本書の範囲を超えますので省略せざるを得ないですが，後の章で使いますので押さえておいてください．

定理 4.5 (確率分布と積率母関数) 2 つの確率分布の積率母関数が一致するならば，2 つの確率分布は等しい．

積率母関数の形から，これは○○分布であると判定できることになります．

なお，X が離散型確率変数の場合，積率母関数 $M_X(t) = E[e^{tX}]$ に代えて，$\mathrm{P}(t) = E[t^X]$ を**確率母関数**として定義し，$\mathrm{P}(t)$ をもとに平均や分散を導出して

---

[4] $\int_a^b e^{cx+d}\,dx = \left[\frac{e^{cx+d}}{c}\right]_a^b = \frac{1}{c}(e^{cb+d} - e^{ca+d}).$

[5] 商の微分の公式: $\left(\frac{1}{f(x)}\right)' = \frac{-f'(x)}{f(x)^2}$ を使います．

いる教科書もあります．本書は離散型，連続型に共通して積率母関数を採用しています．さらに，$E[e^{itX}]$ を**特性関数**（解析ではフーリエ変換と呼びます）といいます．より進んだ確率論では，積率母関数に代えて特性関数を活用します．

―――――――――――4 章の演習問題―――――――――――

4.1 (密度関数，分布関数) X の確率密度関数が

$$f(x) = \begin{cases} ax(2-x), & 0 \leq x \leq 2, \\ 0, & x < 0, 2 < x, \end{cases}$$

のとき，(1) a の値，(2) $P(0 \leq X \leq 1)$，(3) X の分布関数 $F(x)$ を求めよ．

4.2 (分散の定義) X が連続型確率変数のとき，分散の定義より $V[aX+b] = a^2 V[X]$ を証明せよ．

4.3 (期待値の計算) X の確率分布表が次で与えられているとき，$E[X], V[X]$ を求めよ．

x	0	1	2	3
$P(X=x)$	p	$2p^2$	p^2	p

4.4 (分散の計算) X の確率密度関数が

$$f(x) = \begin{cases} 1, & 0 < x < 1, \\ 0, & その他, \end{cases}$$

で与えられているとき，$V[X]$ を求めよ．

4.5 (積率母関数) X の積率母関数が $M_X(t) = e^{12t+8t^2}$ のとき，$E[X], V[X]$ を求めよ．

5 主要な確率分布

主要な確率分布として，
　　　離散型確率分布：二項分布，ポアソン分布，幾何分布，離散型一様分布
　　　連続型確率分布：正規分布，連続型一様分布，指数分布
とその性質を学びます．

5.1 二項分布

確率質量関数 $p_i = \mathrm{P}(X = x_i)$, $i = 0, 1, 2, \cdots$, が特定の形をしている重要な分布には名前が付いています．

離散型で最も重要な分布の1つは二項分布です．高校までは「独立試行の確率」または「反復試行の確率」と呼び，次のように記述されます：同じ試行を繰り返し独立[1]に n 回行う．1回の試行で，ある事象 A の起こる確率を p とするとき，A が n 回中 r 回 $(0 \leq r \leq n)$ 起こる確率は，

$$_nC_r p^r (1-p)^{n-r}. \tag{5.1}$$

これは次のように確認できます．○を A が起こる，×を A が起こらないとします．○が r 個，×が $n-r$ 個です．n 回中 r 回の A が起こる場合の数は $_nC_r$ 個あります．その組み合わせの一つひとつが実現する確率は，すべて等し

---

[1] 試行が独立とは，各試行の結果が他のいかなる試行の結果に何も影響を及ぼさないことをいいます．

く $p^r(1-p)^{n-r}$ です.たとえば,$r=2$ のときは次のように考えます.

$$\bigcirc\bigcirc\times\cdots\times\times\times \quad \cdots\cdots \quad 確率\, p^2(1-p)^{n-2}$$
$$\bigcirc\times\bigcirc\cdots\times\times\times \quad \cdots\cdots \quad 確率\, p^2(1-p)^{n-2}$$
$$\cdots\cdots$$
$$\underbrace{\times\times\times\cdots\times\bigcirc\bigcirc} \quad \cdots\cdots \quad 確率\, p^2(1-p)^{n-2}$$
$$\text{場合の数は}\,{}_nC_2\text{個}$$

$r=2$ に限らずに一般化して考えれば,(5.1) を得ます.

このように,事象 A が起こる確率が p である試行を独立に n 回行ったときに,n 回中事象 A が起こる回数を確率変数 X としたときの確率分布を二項分布と呼んでいます.

定義 5.1 (二項分布) n を自然数,p を $0 < p < 1$ である実数とする.確率変数 X の確率質量関数が

$$p_r = \mathrm{P}(X=r) = {}_nC_r p^r (1=p)^{n-r},\ r=0,1,\cdots,n$$

であるとき,X は**二項分布** $B(n,p)$ に従うといい,$X \sim B(n,p)$ と書く.

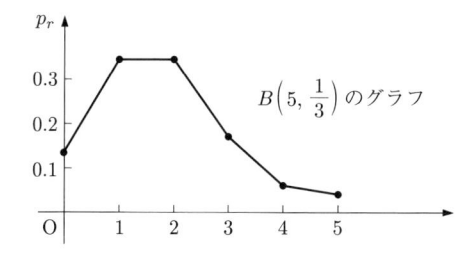

$B\left(5, \dfrac{1}{3}\right)$ のグラフ

二項分布は n と p を与えれば,確率を数値計算できます.それゆえに n と p をパラメータとして扱い $B(n,p)$ と表します.

例題 5.1 (二項分布の応用) 男女の生まれる確率は同じとする.3 人の子供のうち 3 人とも女の子である確率は?

解答 女の子の人数を X として，$n=3, p=\frac{1}{2}, r=3$ だから，
$$P(X=3) = {}_3C_3 \left(\frac{1}{2}\right)^3 \left(1-\frac{1}{2}\right)^{3-3} = \frac{1}{8}.$$

例題 5.2 (二項分布の応用) あるメジャーリーグの日本人選手の打率は $\frac{1}{3}$．彼が 5 打席中 2 本以上のヒットを打つ確率は？

解答 X をヒット数として，$n=5, p=\frac{1}{3}, r=2,3,4,5$ だから，
$$P(X=2) + P(X=3) + P(X=4) + P(X=5)$$
を計算すれば OK です．このまま計算してもよいですが余事象の確率を使えば少し計算量が減ります．

$$求める確率 = 1 - \{P(X=0) + P(X=1)\}$$
$$= 1 - \left\{ {}_5C_0 \left(\frac{1}{3}\right)^0 \left(1-\frac{1}{3}\right)^5 + {}_5C_1 \left(\frac{1}{3}\right)^1 \left(1-\frac{1}{3}\right)^4 \right\}$$
$$= 1 - \left\{ \left(\frac{2}{3}\right)^5 + \frac{5 \times 2^4}{3^5} \right\} = \frac{131}{243} \approx 0.54.$$

これは 1 試合に 5 打席とすると，彼は確率 0.54 で 1 試合につきヒットを 2 本以上打つ（メジャーリーグではこれを賞賛を込めてマルチヒットといいます）ことを意味します．

二項分布の期待値（平均）と分散はそれぞれ次で与えられます．

定理 5.1 (二項分布の平均と分散) 確率変数 X が二項分布 $B(n,p)$ に従うとき，$E[X] = np$, $V[X] = np(1-p)$．

証明 平均，分散の定義から計算しても証明できますが，ここでは二項定理を使ったうまい（知らないと思いつかないという意味を含めてます）示し方を取り上げます．二項定理より，
$$\sum_{r=0}^{n} {}_nC_r p^r q^{n-r} = (p+q)^n$$

です．両辺を p で微分すると，
$$\sum_{r=0}^{n} r\,{}_nC_r p^{r-1} q^{n-r} = n(p+q)^{n-1}. \tag{5.2}$$
両辺を p 倍すると
$$\sum_{r=0}^{n} r\,{}_nC_r p^r q^{n-r} = np(p+q)^{n-1}.$$
$p+q=1$ を使うと，上式右辺は np です．左辺は $E[X] = \sum_{r=0}^{n} r\,\mathrm{P}(X=r)$ そのものなので，$E[X] = np$ を得ます．

次は分散です．(5.2) の両辺を p でさらに微分します．
$$\sum_{r=0}^{n} r(r-1)\,{}_nC_r p^{r-2} q^{n-r} = n(n-1)(p+q)^{n-2}.$$
両辺を p^2 倍します．
$$\sum_{r=0}^{n} (r^2 - r)\,{}_nC_r p^r q^{n-r} = n(n-1)p^2(p+q)^{n-2}.$$
$p+q=1$ を代入して
$$\sum_{r=0}^{n} r^2\,{}_nC_r p^r q^{n-r} - \sum_{r=0}^{n} r\,{}_nC_r p^r q^{n-r} = n(n-1)p^2.$$
左辺第 1 項は $E[X^2]$，第 2 項は $E[X] = np$ です．したがって，
$$E[X^2] = n(n-1)p^2 + np.$$
これを，分散の公式 $V[X] = E[X^2] - \mu^2$ に代入すると
$$V[X] = n(n-1)p^2 + np - (np)^2 = np(1-p)$$
を得ます．

二項分布の積率母関数は次です．

定理 5.2 (二項分布の積率母関数) 確率変数 X が二項分布 $B(n,p)$ に従うとき，積率母関数 $M_X(t)$ は
$$M_X(t) = (pe^t + q)^n, \ p+q = 1.$$

証明 積率母関数の定義より

$$M_X(t) = E[e^{tX}] = \sum_{r=0}^{n} e^{tr} {}_nC_r p^r q^{n-r} = \sum_{r=0}^{n} {}_nC_r (pe^t)^r q^{n-r}.$$

最後の項は，二項定理より $(pe^t+q)^n$ に等しくなりますから，$M_X(t) = (pe^t+q)^n$ を得ます．

前章で学んだように積率母関数を使うと，平均と分散はもう少し手際よく得ることができます．例として見てみましょう．

例題 5.3 (二項分布の平均と分散) 二項分布の平均と分散を積率母関数から求めよ．

解答 積率母関数 $M_X(t) = (pe^t+q)^n$ を t で微分[2]して，

$$\begin{aligned}M'_X(t) &= np(pe^t+q)^{n-1}e^t, \\ M''_X(t) &= n(n-1)p^2(pe^t+q)^{n-2}(e^t)^2 + np(pe^t+q)^{n-1}e^t.\end{aligned}$$

$e^0 = 1$ だから，

$$M'_X(0) = np, \quad M''_X(0) = n(n-1)p^2 + np.$$

定理 4.4 より，$E[X] = np$, $V[X] = M''_X(0) - (M'_X(0))^2 = npq$.

5.2 ポアソン分布

ポアソン分布は，理論的には二項分布において平均 np を定数 λ に保ちながら，$n \to \infty, p \to 0$ にしたときに現れます．これは後述するとして，まず定義から見てみましょう．

---

[2] $M'_X(t)$ を t で微分するには積の微分の公式を使います：$(f(t)g(t))' = f'(t)g(t) + f(t)g'(t)$. また，$(e^t)' = e^t$ です．

定義 5.2 (ポアソン分布) λ を正の整数とする．確率変数 X の確率質量関数が
$$p_r = \mathrm{P}(X = r) = e^{-\lambda}\frac{\lambda^r}{r!},\ r = 0, 1, 2, \cdots,$$
であるとき，X はパラメータ λ の**ポアソン分布**に従うといい，$X \sim Po(\lambda)$ と書く．

e は自然対数の底であり，$e = 2.7182818\cdots$ です．見た目が複雑な確率質量関数が出てきましたが，ポアソン分布の平均と分散はシンプルでともに λ になります．この λ を**強度** (intensity) ともいいます．したがって，$Po(\lambda)$ を「強度 λ のポアソン分布」とも「平均 λ のポアソン分布」とも呼びます．

定理 5.3 (ポアソン分布の積率母関数，平均と分散) 確率変数 X が，パラメータ λ のポアソン分布 $Po(\lambda)$ に従うとき，積率母関数 $M_X(t)$ は
$$M_X(t) = e^{\lambda(e^t - 1)},$$
平均と分散は，$E[X] = V[X] = \lambda$.

証明 積率母関数の定義より
$$M_X(t) = E[e^{tX}] = \sum_{r=0}^{\infty} e^{tr} e^{-\lambda} \frac{\lambda^r}{r!} = e^{-\lambda} \sum_{r=0}^{\infty} \frac{(\lambda e^t)^r}{r!}.$$
ここで，e^x のマクローリン展開[3]:
$$e^x = \sum_{r=0}^{\infty} \frac{x^r}{r!}$$
を使うと，$M_X(t) = e^{-\lambda} e^{\lambda e^t} = e^{\lambda(e^t - 1)}$ を得ます．t で微分すると，
$$M_X'(t) = e^{\lambda(e^t - 1)} \lambda e^t,\quad M_X''(t) = e^{\lambda(e^t - 1)} \lambda e^t \lambda e^t + e^{\lambda(e^t - 1)} \lambda e^t.$$
$t = 0$ とすると，$M_X'(0) = \lambda$, $M_X''(0) = \lambda^2 + \lambda$. したがって，定理 4.4 より，
$$E[X] = \lambda,\quad V[X] = M_X''(0) - (M_X'(0))^2 = \lambda^2 + \lambda - \lambda^2 = \lambda.$$

---

[3] $f(x)$ のマクローリン展開：$f(x) = f(0) + f'(0)x + \frac{f''(0)}{2!}x^2 + \frac{f'''(0)}{3!}x^3 + \cdots$.

定理 5.4 (二項分布のポアソン近似)
確率変数 X が二項分布 $B(n,p)$ に従うとする．$np = \lambda$ に一定に保ちながら，$n \to \infty$ とすると，X は平均 λ のポアソン分布で近似できる．($n \to \infty$ のとき，$\lambda = np$ が一定なので，$p \to 0$．)

証明 $X \sim B(n, p)$ なので，

$$P(X = r) = {}_nC_r p^r (1-p)^{n-r}, \ r = 0, 1, \cdots, n.$$

$p = \lambda/n$ を代入すると，

$$P(X = r) = \frac{n!}{r!(n-r)!} \left(\frac{\lambda}{n}\right)^r \left(1 - \frac{\lambda}{n}\right)^{n-r}$$

$$= \frac{n!}{n^r(n-r)!} \frac{\lambda^r}{r!} \left(1 - \frac{\lambda}{n}\right)^{n-r}$$

ここで，

$$\lim_{n \to \infty} \frac{n!}{n^r(n-r)!} = \lim_{n \to \infty} \frac{n(n-1)\cdots(n-r+1)}{n \cdot n \cdots n}$$

$$= \lim_{n \to \infty} \left(1 - \frac{1}{n}\right)\left(1 - \frac{2}{n}\right) \cdots \left(1 - \frac{r-1}{n}\right)$$

$$= 1.$$

また $\lim_{n \to \infty} \left(1 - \frac{\lambda}{n}\right)^{n-r} = e^{-\lambda}$ であるので[4]，

$$\lim_{n \to \infty} {}_nC_r \left(\frac{\lambda}{n}\right)^r \left(1 - \frac{\lambda}{n}\right)^{n-r} = e^{-\lambda} \frac{\lambda^r}{r!}.$$

これより，二項分布 $B(n,p)$ は n が十分大きく，p が十分小さいときには，$\lambda = np$ のポアソン分布で近似できることがわかります．二項分布において，ある事象の起こる確率 p が小さく，試行の回数 n が大きいときには，ポアソン分布で計算してもよいということです．

p が十分小さいとは「稀にしか起こらない」ことを意味します．n が十分大きいとは「大量に観測できる」「大量に繰り返すことができる」ことを意味しま

---

[4] $e^x = \lim_{n \to \infty} \left(1 + \frac{x}{n}\right)^n$

す．このことから，ポアソン分布は，「**大量に観測できるが稀にしか起こらない**」事柄が起こる回数 X の確率分布を記述することに使われます．たとえば，1日の交通事故の数，ある時間帯にかかってくる電話の数などに適用されます．有名な例として，プロシアの 10 騎兵軍団で 1 年間に馬に蹴られて亡くなった兵士の数が，平均 0.61 のポアソン分布でよく近似されたことが知られています．

二項分布をポアソン近似できるための条件は，習慣的に

$$n > 50, \quad np \leq 5$$

とされています．では，使い方の例です．

> **例題 5.4 (二項分布のポアソン近似)** A 市では平均 80 人に 1 人があるウイルスに感染しているという．恣意を挟まずに 200 人を選ぶ（無作為抽出といいます）とき，その中にウイルス保有者が少なくとも 4 人含まれる確率は？

解答 200 人中のウイルス保有者の人数を X とすると，X は二項分布 $B(200, 1/80)$ に従います．

$$n = 200 > 50, \quad np = 200 \times \frac{1}{80} = 2.5 \leq 5$$

ですから，二項分布を $\lambda = np = 2.5$ のポアソン分布

$$P(X = r) = e^{-2.5} \frac{(2.5)^r}{r!}, \ r = 0, 1, \cdots,$$

で近似できます．したがって，求める確率 $P(X \geq 4)$ は余事象の確率から

$$P(X \geq 4) = 1 - \{P(X=0) + P(X=1) + P(X=2) + P(X=3)\}$$

$$= 1 - \left\{ e^{-2.5} + e^{-2.5} \times 2.5 + e^{-2.5} \frac{(2.5)^2}{2!} + e^{-2.5} \frac{(2.5)^3}{3!} \right\}$$

$$\approx 0.24.$$

二項分布のままでは，$r = 0, 1, 2, 3$ に対して

$$P(X = r) = {}_{200}C_r \left(\frac{1}{80}\right)^r \left(1 - \frac{1}{80}\right)^{200-r}$$

を計算しなくてはいけません．これらは電卓では計算できないので，ポアソン近似が威力を発揮します．

5.3 幾何分布

サイコロを何回も投げて，$(r+1)$ 回目に初めて 1 の目が出る確率は

$$\left(\frac{5}{6}\right)^r \times \frac{1}{6}$$

です．これを一般化した分布を幾何分布といいます．

定義 5.3 (幾何分布) 確率変数 X の確率質量関数が，$0 < p < 1$ である p に対して，

$$p_r = \mathrm{P}(X = r) = (1-p)^r p, \ r = 0, 1, 2, \cdots,$$

であるとき，X はパラメータ p の**幾何分布**に従うといい，$X \sim Ge(p)$ と書く．

幾何分布の積率母関数，平均，分散は次で与えられます．

定理 5.5 (幾何分布の積率母関数，平均，分散) 確率変数 X がパラメータ p の幾何分布に従うとき，積率母関数，平均，分散はそれぞれ

$$M_X(t) = \frac{p}{1 - e^t(1-p)}, \quad t < -\log(1-p),$$

$$E[X] = \frac{1-p}{p}, \quad V[X] = \frac{1-p}{p^2}.$$

証明

$$M_X(t) = E[e^{tX}] = \sum_{r=0}^{\infty} e^{tr}(1-p)^r p = p \sum_{r=0}^{\infty} (e^t(1-p))^r.$$

$t = 0$ の近くで積率母関数が求まればよいので，$e^t(1-p) < 1$ とします．両辺に自然対数をとると，$t < -\log(1-p)$ です．このときに上式の無限級数は有限の値に収束します．実際，無限等比級数の公式：$\sum_{r=0}^{\infty} x^r = \frac{1}{1-x}, 0 < x < 1$ を使えば，

$$M_X(t) = p \sum_{r=0}^{\infty} (e^t(1-p))^r = \frac{p}{1 - e^t(1-p)}$$

を得ます．したがって，$q = 1-p$ とおいて，微分[5]すれば

$$M'_X(t) = \frac{pqe^t}{(1-qe^t)^2}$$

$$M''_X(t) = \frac{pqe^t(1-qe^t)^2 - pqe^t 2(1-qe^t)(-qe^t)}{(1-qe^t)^4} = \frac{pqe^t(1+qe^t)}{(1-qe^t)^3}$$

$t = 0$ とすれば，

$$M'_X(0) = \frac{q}{p}, \ M''_X(0) = \frac{q(1+q)}{p^2}.$$

よって，$E[X] = \frac{1-p}{p}$．次に定理 4.4 より

$$V[X] = M''_X(0) - \{M'_X(0)\}^2 = \frac{q(1+q)}{p^2} - \frac{q^2}{p^2} = \frac{1-p}{p^2}$$

を得ます．

定義からも平均を求めることができます．やや技巧的です．

例題 5.5 (幾何分布の平均) 　幾何分布 $Ge(p)$ の平均を定義から求めよ．

解答

$$E[X] = \sum_{r=0}^{\infty} r(1-p)^r p = 0 + (1-p)p + 2(1-p)^2 p + \cdots . \tag{5.3}$$

両辺を $(1-p)$ 倍します．

$$(1-p)E[X] = (1-p)^2 p + 2(1-p)^3 p + \cdots . \tag{5.4}$$

(5.3) と (5.4) を辺々引き算します．

$$E[X] - (1-p)E[X] = (1-p)^2 p + (1-p)^3 p + \cdots .$$

したがって，

$$pE[X] = p \sum_{r=1}^{\infty} (1-p)^r.$$

無限等比級数の公式より，$\sum_{r=1}^{\infty}(1-p)^r = \frac{1-p}{1-(1-p)} = \frac{1-p}{p}$ ですから，これを上式に代入して，両辺を p で割れば

$$E[X] = \frac{1-p}{p}$$

---

[5] 商の微分の公式: $\left(\frac{f}{g}\right)' = \frac{f'g - fg'}{g^2}$ を使います．また，$(e^{f(x)})' = f'(x)e^{f(x)}$ です．

を得ます．なお，分散を定義から求めるのはさらに技巧的になるのでやめておきます．

幾何分布には**無記憶性**という性質があります．

定理 5.6 (幾何分布の無記憶性) $X \sim Ge(p)$ のとき，すべての自然数 n, m に対して次が成り立つ．
$$P(X \geq n+m | X \geq n) = P(X \geq m).$$

証明 無限等比級数の和[6]より
$$P(X \geq n) = p\sum_{r=n}^{\infty}(1-p)^r = p\frac{(1-p)^n}{(1-(1-p))} = (1-p)^n.$$
よって，条件付き確率の定義より
$$P(X \geq n+m | X \geq n) = \frac{(1-p)^{n+m}}{(1-p)^n} = (1-p)^m = P(X \geq m).$$

現在 $X \geq n$ であることがわかっているとき，$X \geq n+m$ である確率は，$X \geq n$ であることにまったく関係がなくなり，$X \geq m$ の確率と等しくなります．これを現在までの記憶がない（$X \geq n$ が未来に影響しない）という意味から，無記憶性といいます．この性質は次章で学ぶ指数分布も有しています．

5.4 離散型一様分布

サイコロ1個を投げたときに出る目を X とすると，
$$P(X=r) = \frac{1}{6},\ r=1,2,\cdots,6,$$
です．出る目はすべて一様に同じ確率です．これを一様分布と呼び，以下のように一般的に定義します．

---
[6] $|p|<1$ に対して，$\sum_{r=n}^{\infty} p^r = \frac{p^n}{1-p}$

> **定義 5.4 (離散型一様分布)** 確率変数 X の確率質量関数が
> $$p_r = \mathrm{P}(X=r) = \frac{1}{n}, \ \ r=1,2,\cdots,n$$
> であるとき，X は $[1,2,\cdots,n]$ 上の**離散型一様分布**に従うといい，$X \sim U[1,2,\cdots,n]$ と書く．

> **定理 5.7 (離散型一様分布の平均と分散)** 確率変数 X が $[1,2,\cdots,n]$ 上の離散型一様分布に従うとき，平均，分散はそれぞれ
> $$E[X] = \frac{n+1}{2}, \ \ V[X] = \frac{(n-1)(n+1)}{12}.$$

証明 期待値の定義から計算[7]すると，
$$E[X] = \sum_{r=1}^{n} r \cdot \frac{1}{n} = \frac{1}{n} \cdot \frac{n(n+1)}{2} = \frac{n+1}{2}.$$
分散は公式：$V[X] = E[X^2] - \{E[X]\}^2$ を使えば得られます．
$$E[X^2] = \sum_{r=1}^{n} r^2 \cdot \frac{1}{n} = \frac{1}{n} \cdot \frac{n(n+1)(2n+1)}{6} = \frac{(n+1)(2n+1)}{6}.$$
したがって，
$$V[X] = \frac{(n+1)(2n+1)}{6} - \left(\frac{n+1}{2}\right)^2 = \frac{(n-1)(n+1)}{12}.$$

例題 5.6 (離散型一様分布の応用) $1,2,\cdots,100$ から無作為に 1 つ選んだときの数を X とする．$E[X], V[X]$ を求めよ．

解答 $X \sim U[1,2,\cdots,100]$ なので，定理 5.7 より，
$$E[X] = \frac{100+1}{2} = 50.5, \ V[X] = \frac{99 \cdot 101}{12} = \frac{9999}{12} = 833.25.$$

---

[7] 和の公式：$\sum_{r=1}^{n} r = \frac{n(n+1)}{2}$, $\sum_{r=1}^{n} r^2 = \frac{n(n+1)(2n+1)}{6}$ を使います．

5.5 正規分布

最重要な連続型分布です．

> **定義 5.5 (正規分布)** 確率変数 X の密度関数が，実数 $\mu, \sigma(\sigma > 0)$ に対して
> $$f(x) = \frac{1}{\sqrt{2\pi\sigma^2}} e^{-\frac{(x-\mu)^2}{2\sigma^2}}, \ -\infty < x < \infty,$$
> であるとき，X は**正規分布**に従うといい，$X \sim N(\mu, \sigma^2)$ と書く．

やや複雑な密度関数の式が出てきましたが，慣れましょう．正規分布の密度関数 $f(x)$ は，$x = \mu$ で最大になり，$x = \mu$ に関して左右対象の釣り鐘型になります．

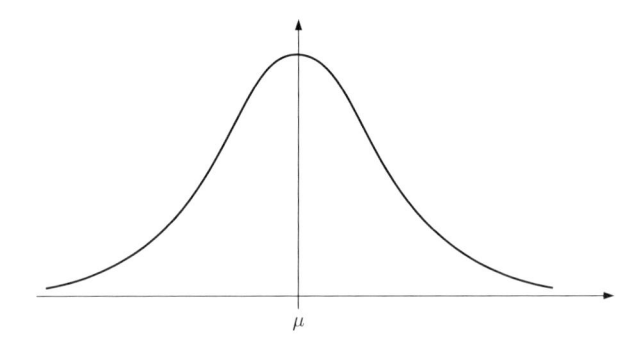

図 5.1 正規分布の密度関数のグラフ

全事象の確率=1 であること，すなわち，
$$\int_{-\infty}^{\infty} f(x)dx = \int_{-\infty}^{\infty} \frac{1}{\sqrt{2\pi\sigma^2}} e^{-\frac{(x-\mu)^2}{2\sigma^2}} dx = 1 \tag{5.5}$$
を確認してみましょう．この事実は積率母関数を求める際に使います．

$y = \frac{x-\mu}{\sqrt{2\sigma^2}}$ と変数を置き換えると，$dy = \frac{dx}{\sqrt{2\sigma^2}}$ なので，
$$\int_{-\infty}^{\infty} \frac{1}{\sqrt{2\pi\sigma^2}} e^{-\frac{(x-\mu)^2}{2\sigma^2}} dx = 2\int_{0}^{\infty} \frac{1}{\sqrt{2\pi\sigma^2}} e^{-\frac{(x-\mu)^2}{2\sigma^2}} dx = 2\int_{0}^{\infty} \frac{1}{\sqrt{\pi}} e^{-y^2} dy.$$
を得ます．最初の等式は正規分布の密度関数が左右対象な関数であることを使っています．さらに，$y^2 = t$ と置き換えると，$2y\,dy = dt$．よって，$y > 0$

のとき $dy = \frac{dt}{2y} = \frac{dt}{2\sqrt{t}}$ だから，

$$2\int_0^\infty \frac{1}{\sqrt{\pi}} e^{-y^2} dy = 2\int_0^\infty \frac{1}{\sqrt{\pi}} \cdot \frac{t^{-\frac{1}{2}}}{2} e^{-t} dt = \frac{1}{\sqrt{\pi}} \times \Gamma\left(\frac{1}{2}\right).$$

ここで $\Gamma(1/2) = \sqrt{\pi}$ より[8]，(5.5) が確認できます．

定理 5.8 (正規分布の積率母関数，平均，分散) $X \sim N(\mu, \sigma^2)$ のとき，積率母関数，平均，分散はそれぞれ

$$M_X(t) = \exp\left\{\mu t + \frac{\sigma^2 t^2}{2}\right\},\ E[X] = \mu,\ V[X] = \sigma^2.$$

なお，$\exp\{x\}$ は e^x のことです．

証明 (5.5) を使えるように変形します．

$$M_X(t) = E[e^{tX}] = \int_{-\infty}^\infty e^{tx} \frac{1}{-\sqrt{2\pi\sigma^2}} e^{\frac{(x-\mu)^2}{2\sigma^2}} dx$$

$$= e^{\mu t + \frac{\sigma^2 t^2}{2}} \times \int_{-\infty}^\infty \frac{1}{\sqrt{2\pi\sigma^2}} e^{-\frac{(x-\mu+\sigma^2 t)^2}{2\sigma^2}} dx$$

ここで，右辺の積分の中は，正規分布 $N(\mu+\sigma^2 t, \sigma^2)$ の密度関数になります．(5.5) から，この積分 $= 1$. よって，

$$M_X(t) = \exp\left\{\mu t + \frac{\sigma^2 t^2}{2}\right\},$$

を得ます．微分して，

$$M_X'(t) = (\mu + \sigma^2 t) \exp\left\{\mu t + \frac{\sigma^2 t^2}{2}\right\},$$

$$M_X''(t) = (\sigma^2 + (\mu + \sigma^2 t)^2) \exp\left\{\mu t + \frac{\sigma^2 t^2}{2}\right\}.$$

定理4.4 より，平均は $E[X] = M_X'(0) = \mu$. 分散は $E[X^2] = M_X''(0) = \sigma^2 + \mu^2$ だから，$V[X] = M_X''(0) - \{M_X'(0)\}^2 = \sigma^2$. ∎

もちろん正規分布の平均と分散は定義から計算できます．これは章末の演習問題とします．さて，定理5.8で，正規分布の積率母関数がわかりました．こ

---

[8] ガンマ関数：定義は $\Gamma(z) = \int_0^\infty t^{z-1} e^{-t} dt$ です．主要な性質として (i) $\Gamma(1) = 1$, (ii) 自然数 n に対して，$\Gamma(n) = (n-1)\Gamma(n-1) = (n-1)(n-2)\Gamma(n-2) = \cdots = (n-1)!$ や，(iii) $\Gamma(1/2) = \sqrt{\pi}$ が成り立ちます．

れで定理 4.5 から，ある分布が正規分布かどうかを積率母関数から判別できる手段を 1 つ手に入れました．例を見てみましょう．

> **例 5.1** (正規分布の和 $X+Y$ の分布)　X, Y は独立で $X \sim N(\mu_1, \sigma_1^2), Y \sim N(\mu_2, \sigma_2^2)$ のとき，$X+Y$ の分布も正規分布になる（この性質を再生性と呼び，6 章で再び学びます）ことを確認してみましょう．$X+Y$ の積率母関数 $M_{X+Y}(t)$ は，
> $$M_{X+Y}(t) = E[e^{t(X+Y)}] = E[e^{tX} e^{tY}]$$
> ここで，後の章で証明することですが「独立な確率変数 e^{tX} と e^{tY} に対して，$E[e^{tX} e^{tY}] = E[e^{tX}] E[e^{tY}]$」を使います．よって
> $$\begin{aligned} M_{X+Y}(t) &= E[e^{tX}] E[e^{tY}] \\ &= M_X(t) M_Y(t) \\ &= \exp\left\{\mu_1 t + \frac{\sigma_1^2 t^2}{2}\right\} \exp\left\{\mu_2 t + \frac{\sigma_2^2 t^2}{2}\right\} \\ &= \exp\left\{(\mu_1 + \mu_2) t + \frac{(\sigma_1^2 + \sigma_2^2) t^2}{2}\right\} \end{aligned}$$
> これは $X+Y$ の分布が正規分布 $N(\mu_1+\mu_2, \sigma_1^2+\sigma_2^2)$ であることを示しています．

次に，すべての正規分布 $N(\mu, \sigma^2)$ は，平均 0，分散 1 の正規分布 $N(0,1)$ に変換できることを見てみましょう．この手順を**正規化**，または**規準化**するといいます．さらに **z 変換**とも呼びます．そして $N(0,1)$ を**標準正規分布**と呼びます．

定理 5.9 (正規化)　確率変数 X が正規分布 $N(\mu, \sigma^2)$ に従うとき，
$$Z = \frac{X - \mu}{\sigma}$$
とすると，Z は標準正規分布 $N(0,1)$ に従う．これを**正規化**という．

証明

$$P(a \leq Z \leq b) = P\left(a \leq \frac{X-\mu}{\sigma} \leq b\right)$$

$$= P\left(a\sigma + \mu \leq X \leq b\sigma + \mu\right)$$

$$= \int_{a\sigma+\mu}^{b\sigma+\mu} \frac{1}{\sqrt{2\pi\sigma^2}} e^{-\frac{(x-\mu)^2}{2\sigma^2}} dx$$

$z = \frac{x-\mu}{\sigma}$ と変数変換すると，$dz = \frac{dx}{\sigma}$，

$$P(a \leq Z \leq b) = \int_a^b \frac{1}{\sqrt{2\pi\sigma^2}} e^{-\frac{z^2}{2}} \sigma\, dz = \int_a^b \frac{1}{\sqrt{2\pi}} e^{-\frac{z^2}{2}} dz.$$

これは $Z \sim N(0,1)$ であることを示しています． ∎

これより，すべての $N(\mu, \sigma^2)$ に対する確率 $P(\alpha \leq X \leq \beta)$ の計算は，正規化により標準正規分布 $N(0,1)$ に対する確率の計算に帰着できます．つまり，

$$P(\alpha \leq X \leq \beta) = P\left(\frac{\alpha-\mu}{\sigma} \leq Z \leq \frac{\beta-\mu}{\sigma}\right) = \int_{\frac{\alpha-\mu}{\sigma}}^{\frac{\beta-\mu}{\sigma}} e^{-\frac{z^2}{2}} dz$$

となります．標準正規分布 $Z \sim N(0,1)$ に対して，確率

$$I(z) = P(0 \leq Z \leq z) = \int_0^z \frac{1}{\sqrt{2\pi}} e^{-\frac{t^2}{2}} dt$$

を与える**正規分布表**（付表1）が作られています．

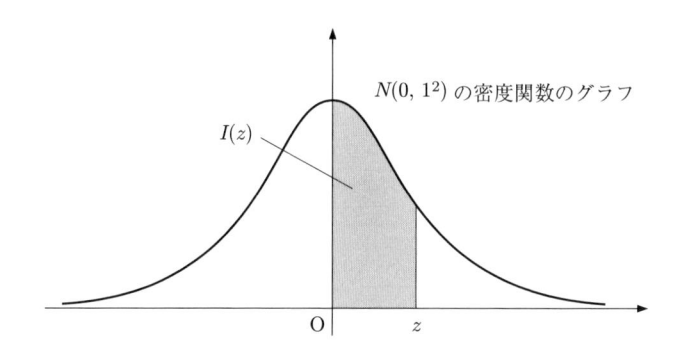

$N(0, 1^2)$ の密度関数のグラフ

標準正規分布の密度関数は $x = 0$ に関して対称なので，

$$P(-z \leq Z \leq 0) = \int_{-z}^0 \frac{1}{\sqrt{2\pi}} e^{-\frac{t^2}{2}} dt = \int_0^z \frac{1}{\sqrt{2\pi}} e^{-\frac{t^2}{2}} dt = I(z)$$

が成り立ちます．この対称性を使い，たとえば

$$\begin{aligned}P(-2 \leq Z \leq 1) &= P(-2 \leq Z \leq 0) + P(0 \leq Z \leq 1) \\ &= P(0 \leq Z \leq 2) + P(0 \leq Z \leq 1) \\ &= I(2) + I(1)\end{aligned}$$

と変形して正規分布表を読みます．例で正規分布表の使い方を練習しましょう．

例題 5.7 (正規分布表の使い方) $X \sim N(1, 2^2)$ のとき，$P(-0.5 \leq X \leq 2)$ はいくつか？

解答 $Z = \frac{X-1}{2}$ と正規化します．$Z \sim N(0,1)$ です．

$$\begin{aligned}P(-0.5 \leq X \leq 2) &= P\left(\frac{-0.5-1}{2} \leq Z \leq \frac{2-1}{2}\right) \\ &= P(-0.75 \leq Z \leq 0.5) \\ &= P(0 \leq Z \leq 0.75) + P(0 \leq Z \leq 0.5) \\ &= I(0.75) + I(0.5)\end{aligned}$$

です．正規分布表を読んで，$I(0.75) = 0.2734, I(0.5) = 0.1915$ を得ます．したがって，求める確率は $0.2734 + 0.1915 \approx 0.4649$ となります．

5.6 一様分布

離散型一様分布の連続版です．

定義 5.6 (一様分布) 実数 a, b $(a < b)$ に対して，確率変数 X の密度関数 f が

$$f(x) = \frac{1}{b-a}, \ a < x < b,$$

x がその他の範囲では $f(x) = 0$ のとき，X は (a,b) 上の**一様分布**に従うといい，$X \sim U(a,b)$ と書く．

平均と分散は容易に計算できます．

定理 5.10 (連続型一様分布の平均と分散) $X \sim U(a,b)$ のとき,
$$E[X] = \frac{a+b}{2}, \quad V[X] = \frac{(b-a)^2}{12}.$$

証明 期待値の定義から計算します.
$$E[X] = \int_a^b x f(x)\, dx = \int_a^b x \frac{1}{b-a}\, dx = \frac{1}{b-a}\left[\frac{x^2}{2}\right]_a^b = \frac{b^2-a^2}{2(b-a)} = \frac{a+b}{2}.$$

次に[9],
$$E[X^2] = \int_a^b x^2 f(x)\, dx = \int_a^b x^2 \frac{1}{b-a}\, dx = \frac{1}{b-a}\left[\frac{x^3}{3}\right]_a^b = \frac{b^3-a^3}{3(b-a)}$$
$$= \frac{b^2+ab+a^2}{3}.$$

したがって,分散の公式より
$$V[X] = E[X^2] - \{E[X]\}^2 = \frac{b^2+ab+a^2}{3} - \left(\frac{a+b}{2}\right)^2 = \frac{(b-a)^2}{12}. \quad \blacksquare$$

5.7 指数分布

最後に指数分布です.

定義 5.7 (指数分布) 正の定数 λ に対して,確率変数 X の密度関数が
$$f(x) = \lambda e^{-\lambda x}, \; x \geq 0,$$
$f(x) = 0, x < 0$,であるとき,X はパラメータ λ の指数分布に従うといい,$X \sim \mathrm{Exp}(\lambda)$ と書く.

指数分布の積率母関数,平均,分散は次です.

定理 5.11 (指数分布の積率母関数・平均・分散) $X \sim \mathrm{Exp}(\lambda)$ のとき
$$M_X(t) = \frac{\lambda}{\lambda-t}, \; (t < \lambda), \quad E[X] = \frac{1}{\lambda}, \; V[X] = \frac{1}{\lambda^2}.$$

---

[9] 因数分解の公式:$b^3 - a^3 = (b-a)(b^2+ab+a^2)$ を使います.

証明

$$M_X(t) = \int_0^\infty e^{tx}\lambda e^{-\lambda x}dx = \lambda \int_0^\infty e^{(t-\lambda)x}dx = \lambda \left[\frac{e^{(t-\lambda)x}}{t-\lambda}\right]_0^\infty$$

$t < \lambda$ とします．このとき $x \to \infty$ のとき，$e^{(t-\lambda)x} \to 0$ です．したがって，

$$M_X(t) = \lambda \left(0 - \frac{1}{t-\lambda}\right) = \frac{\lambda}{\lambda - t}$$

を得ます．これより，

$$M'_X(t) = \frac{\lambda}{(\lambda-t)^2}, \quad M''_X(t) = \frac{2\lambda}{(\lambda-t)^3}.$$

したがって，

$$E[X] = M'_X(0) = \frac{1}{\lambda}$$

$$V[X] = M''_X(0) - (M'_X(0))^2 = \frac{2}{\lambda^2} - \left(\frac{1}{\lambda}\right)^2 = \frac{1}{\lambda^2}.$$

積率母関数を使わずとも平均，分散を求めることはもちろんできます．演習にします．指数分布にも幾何分布と同じ無記憶性の性質があります．

定理 5.12 (指数分布の無記憶性) $X \sim \mathrm{Exp}(\lambda)$ のとき，すべての正数 t, s に対して

$$\mathrm{P}(X > t+s | X > t) = \mathrm{P}(X > s).$$

証明

$$\mathrm{P}(X > t) = \int_t^\infty \lambda e^{-\lambda x}dx = \left[-e^{-\lambda x}\right]_t^\infty = e^{-\lambda t}.$$

したがって，条件付き確率の定義から

$$\mathrm{P}(X > t+s | X > t) = \frac{e^{-\lambda(t+s)}}{e^{-\lambda t}} = e^{-\lambda s} = \mathrm{P}(X > s).$$

たとえば，X が何かの寿命を表す確率変数であるとしましょう．無記憶性は「時刻 t まで生き続けているときに，さらに時刻 $t+s$ まで生き続ける条件付き確率は，時刻 t まで生き続けていることとは無関係に，これから s 時間生き続ける確率に等しい」ことを意味します．つまり，「$X > t$」という記憶が失われ新しく指数分布は始まるというニュアンスです．

本章で導いた**主要な確率分布の積率母関数**をまとめておきます．

確率分布	積率母関数
二項分布：$B(n,p)$	$M_X(t) = (pe^t + q)^n$ $p + q = 1$
ポアソン分布：$Po(\lambda)$	$M_X(t) = e^{\lambda(e^t - 1)}$
幾何分布：$Ge(p)$	$M_X(t) = \frac{p}{1 - e^t(1-p)}$ $t < -\log(1-p).$
正規分布：$N(\mu, \sigma^2)$	$M_X(t) = \exp\left\{\mu t + \frac{\sigma^2 t^2}{2}\right\}$
標準正規分布：$N(0,1)$	$M_X(t) = \exp\left\{\frac{t^2}{2}\right\}$
指数分布：$\mathrm{Exp}(\lambda)$	$M_X(t) = \frac{\lambda}{\lambda - t}$ $t < \lambda$

さらに**主要な確率分布**をまとめておきます．

確率分布	質量/密度関数	平均	分散
二項分布：$B(n,p)$	$p_r = {}_nC_r p^r (1-p)^{n-r}$ $r = 0, 1, \cdots, n$	np	$np(1-p)$
ポアソン分布：$Po(\lambda)$	$p_r = e^{-\lambda} \frac{\lambda^r}{r!}$, $r = 0, 1, 2 \cdots$	λ	λ
幾何分布：$Ge(p)$	$p_r = (1-p)^r p$ $r = 0, 1, 2 \cdots$	$\frac{1-p}{p}$	$\frac{1-p}{p^2}$
離散型一様分布： $U[1, \cdots, n]$	$p_r = \frac{1}{n}$ $r = 1, 2, \cdots, n$	$\frac{n+1}{2}$	$\frac{(n-1)(n+1)}{12}$
正規分布：$N(\mu, \sigma^2)$	$f(x) = \frac{1}{\sqrt{2\pi\sigma^2}} e^{-\frac{(x-\mu)^2}{2\sigma^2}}$ $-\infty < x < \infty$	μ	σ^2
連続型一様分布：$U(a,b)$	$f(x) = \frac{1}{b-a}$ $a < x < b$	$\frac{a+b}{2}$	$\frac{(b-a)^2}{12}$
指数分布：$\mathrm{Exp}(\lambda)$	$f(x) = \lambda e^{-\lambda x}$ $x \geq 0$	$\frac{1}{\lambda}$	$\frac{1}{\lambda^2}$

5章の演習問題

5.1 (二項分布の平均,分散) 二項分布 $B(n,p)$ の平均を期待値の定義から求めよ.さらに,分散を分散の公式(定理 4.3)を使い求めよ.(Hint: $r\,{}_nC_r = n\,{}_{n-1}C_{r-1}$, $r(r-1)\,{}_nC_r = n(n-1)\,{}_{n-2}C_{r-2}$)

5.2 (二項分布のポアソン近似) ある製品は平均して 0.8% が不良品である.製品 250 個すべてを品質検査したとき,不良品が 3 個以上ある確率は?

5.3 (正規分布の平均,分散) 正規分布 $N(\mu, \sigma^2)$ の平均を期待値の定義から求めよ.さらに,分散を分散の公式(定理 4.3)を使い求めよ.

5.4 (正規分布) X が正規分布 $N(10, 2^2)$ に従うとき,(1) $P(X > 11)$,(2) $P(9 < X < 11)$,(3) $P(X < c) = 0.85$ をみたす c の値を求めよ.

5.5 (指数分布) $X \sim Exp(\lambda)$ のとき,$E[X], V[X]$ を定義から計算せよ.

6 多次元確率分布

2つ以上の確率変数の分布，確率変数の独立性，分布の再生性を学びます．

6.1 2次元確率分布

2つの確率変数 X, Y のペア (X, Y) の確率分布を考えることができます．これを同時分布と呼びます．

> **定義 6.1 (離散型確率変数 X, Y の同時分布)** 2つの離散型確率変数 X, Y があり，確率分布が
> $P(X = x_i) = p_i, \ i = 1, 2, \cdots, M, \ \ P(Y = y_j) = q_j, \ j = 1, 2, \cdots, N,$
> であるとき，
> $\quad P(X = x_i, Y = y_j) = p_{ij}, \ i = 1, 2, \cdots, M, j = 1, 2, \cdots, N,$
> を X, Y の**同時分布**または**結合分布**という．

同時分布のことを**同時確率質量関数**とも呼びます．すべての確率の和=1 ですから，同時分布 p_{ij} に関して，
$$\sum_{i=1}^{M} \sum_{j=1}^{N} p_{ij} = 1$$
です．X, Y の同時分布において，すべての y_j について和をとれば，X の確率分布が得られます．同様に，すべての x_i について和をとれば，Y の確率分布が得られます．

定理 6.1 (離散型確率変数 X, Y の周辺分布)　X, Y の同時分布 $p_{ij}, i = 1, 2, \cdots, M, j = 1, 2, \cdots, N$ に対して,
$$\sum_{j=1}^{N} p_{ij} = p_i, \quad \sum_{i=1}^{M} p_{ij} = q_j.$$
p_i, q_j をそれぞれ同時分布から定まる X, Y の**周辺分布**または**周辺確率質量関数**と呼ぶ.

証明　事象 $\{X = x_i, Y = y_1\}, \{X = x_i, Y = y_2\}, \cdots, \{X = x_i, Y = y_N\}$ は互いに排反です. したがって,

$\{X = x_i, Y = y_1\} \cup \{X = x_i, Y = y_2\} \cup \cdots \cup \{X = x_i, Y = y_N\} = \{X = x_i\}$

なので,
$$\sum_{j=1}^{N} p_{ij} = \sum_{j=1}^{N} \mathrm{P}(X = x_i, Y = y_j) = \mathrm{P}(X = x_i) = p_i.$$
もう1つの式も同様に得られます.

X, Y が連続型確率変数の場合は次のようになります.

定義 6.2 (連続型確率変数 X, Y の同時確率密度関数)　X, Y に対する事象の確率が, 任意の実数 $a < b, c < d$ に対して
$$\mathrm{P}(a \leq X \leq b,\ c \leq Y \leq d) = \int_a^b \int_c^d f(x, y)\, dx\, dy$$
で与えられるとき, 非負関数 $f(x, y)$ を X, Y の**同時確率密度関数**という.

全事象の確率=1 ですから, $f(x, y)$ は
$$\mathrm{P}(-\infty < X < \infty,\ -\infty < Y < \infty) = \int_{-\infty}^{\infty} \int_{-\infty}^{\infty} f(x, y)\, dx\, dy = 1$$
をみたさなければなりません. 離散の場合と同様に次を得ます.

定理 6.2 (連続型確率変数 X, Y の周辺確率密度関数)　X, Y の同時確率密度関数 f と, X, Y のそれぞれの確率密度関数 $f_X(x), f_Y(y)$ に対して,
$$f_X(x) = \int_{-\infty}^{\infty} f(x,y)\,dy, \quad f_Y(y) = \int_{-\infty}^{\infty} f(x,y)\,dx.$$

同時密度関数から得られることを強調するために, $f_X(x), f_Y(y)$ を**周辺確率密度関数**ともいいます.

証明

$$P(a \leq X \leq b) = P(a \leq X \leq b,\ -\infty < Y < \infty) = \int_a^b \left\{ \int_{-\infty}^{\infty} f(x,y)\,dy \right\} dx$$

ですから,
$$f_X(x) = \int_{-\infty}^{\infty} f(x,y)\,dy$$

とおけば,
$$P(a \leq X \leq b) = \int_a^b f_X(x)\,dx$$

となります. 確率密度関数の定義より, $f_X(x)$ は X の確率密度関数に他なりません. $f_Y(y)$ も同様に示されます.

例題 6.1 (同時分布, 周辺分布)　次の表は 2 つの離散型確率変数 X, Y の結合分布を示す.

$x \backslash y$	1	2	3
0	$\frac{3}{20}$	$\frac{1}{10}$	$\frac{3}{20}$
1	$\frac{1}{10}$	0	$\frac{1}{10}$
2	$\frac{3}{20}$	$\frac{1}{10}$	$\frac{3}{20}$

(1) X, Y の周辺分布を求めよ.
(2) $Z = X + Y$ の確率分布表を求めて, 分散を計算せよ.

解答

(1) $\quad \mathrm{P}(X=0) = \sum_{j=1}^{3} \mathrm{P}(X=0, Y=j) = \frac{3}{20} + \frac{1}{10} + \frac{3}{20} = \frac{2}{5},$

$\quad \mathrm{P}(X=1) = \sum_{j=1}^{3} \mathrm{P}(X=1, Y=j) = \frac{1}{10} + 0 + \frac{1}{10} = \frac{1}{5},$

$\quad \mathrm{P}(X=2) = \sum_{j=1}^{3} \mathrm{P}(X=2, Y=j) = \frac{3}{20} + \frac{1}{10} + \frac{3}{20} = \frac{2}{5}.$

X の確率分布を表にすると,

x	0	1	2	計
$\mathrm{P}(X=x)$	$\frac{2}{5}$	$\frac{1}{5}$	$\frac{2}{5}$	1

同様に計算して, Y の確率分布表は

y	1	2	3	計
$\mathrm{P}(Y=y)$	$\frac{2}{5}$	$\frac{1}{5}$	$\frac{2}{5}$	1

(2) $Z = X+Y$ の確率分布表は, X, Y の同時分布表より計算して,

z	1	2	3	4	5	計
$\mathrm{P}(Z=z)$	$\frac{3}{20}$	$\frac{1}{5}$	$\frac{3}{10}$	$\frac{1}{5}$	$\frac{3}{20}$	1

したがって,

$$E[Z] = 1 \times \frac{3}{20} + \cdots + 5 \times \frac{3}{20} = 3.$$

$$V[Z] = 1^2 \times \frac{3}{20} + \cdots + 5^2 \times \frac{3}{20} - 3^2 = 1.6.$$

例題 6.2(同時密度関数,周辺密度関数) X, Y の同時密度関数が

$$f(x,y) = \begin{cases} \frac{8(1-y)}{\pi(1+x^2)}, & 0 < x < 1, 0 < y < 1, \\ 0, & \text{その他} \end{cases}$$

のとき, X, Y の周辺密度関数 $f_X(x), f_Y(y)$ を求めよ.

解答 $0 < x < 1$ に対して,

$$f_X(x) = \int_0^1 \frac{8(1-y)}{\pi(1+x^2)} \, dy = \frac{8}{\pi(1+x^2)} \left[-\frac{(1-y)^2}{2} \right]_0^1 = \frac{4}{\pi(1+x^2)}.$$

$\int_0^1 \frac{1}{1+x^2}\,dx = \left[\tan^{-1} x\right]_0^1 = \frac{\pi}{4}$ より，$0 < y < 1$ に対して，

$$f_Y(y) = \int_0^1 \frac{8(1-y)}{\pi(1+x^2)}\,dx = \frac{8(1-y)}{\pi}\left[\tan^{-1} x\right]_0^1 = 2(1-y).$$

3章で定義した事象の独立性を用いて，確率変数の独立性を定義します．

定義 6.3 (確率変数の独立)

(i) 離散型確率変数 X, Y が独立とは，事象 $\{X = x_i\}, \{Y = y_j\}$ が独立であることをいう．すなわち，すべての i, j に対して

$$P(X = x_i | Y = y_j) = P(X = x_i) \tag{6.1}$$

が成り立つことをいう．

(ii) 連続型確率変数 X, Y が独立とは，事象 $\{a \leq X \leq b\}, \{c \leq Y \leq d\}$ が独立であることをいう．すなわち，$a \leq b, c \leq d$ であるすべての実数 a, b, c, d に対して

$$P(a \leq X \leq b | c \leq Y \leq d) = P(a \leq X \leq b) \tag{6.2}$$

が成り立つことをいう．

条件付き確率の定義から，

$$P(X = x_i | Y = y_j) = \frac{P(X = x_i, Y = y_j)}{P(Y = y_j)}$$

$$P(a \leq X \leq b | c \leq Y \leq d) = \frac{P(a \leq X \leq b, c \leq Y \leq d)}{P(c \leq Y \leq d)}$$

なので，(6.1), (6.2) は，それぞれ

$$P(X = x_i, Y = y_j) = P(X = x_i)P(Y = y_j) \tag{6.3}$$

$$P(a \leq X \leq b, c \leq Y \leq d) = P(a \leq X \leq b)P(c \leq Y \leq d) \tag{6.4}$$

と同値です．教科書によってはこちらを独立の定義にしています．

確率変数の独立性を判定する際に役に立つ定理を述べましょう．次の定理は証明ができるようになることよりも，これ以降の展開において活用できることが重要です．

定理 6.3 (確率変数の独立性の必要十分条件)

(i) X, Y をそれぞれ確率分布 p_i, q_j, $i = 1, 2, \cdots, M$, $j = 1, 2, \cdots, N$ をもつ離散型確率変数とする．このとき，X と Y が独立である必要十分条件は，すべての i, j に対して

$$p_{ij} = p_i q_j$$

が成り立つことである．

(ii) X, Y をそれぞれ密度関数 $f_X(x), f_Y(y)$ をもつ連続型確率変数とする．X, Y の同時密度関数を $f(x, y)$ とする．このとき，X と Y が独立である必要十分条件は，すべての x, y に対して

$$f(x, y) = f_X(x) f_Y(y)$$

が成り立つことである．

証明

(i) (6.3) より，$p_{ij} = p_i q_j$ は離散型確率変数 X, Y の独立の定義と同値です．すなわち必要十分です．

(ii) $f(x, y), f_X(x), f_Y(y)$ をそれぞれ $(x, y), x, y$ において連続であるとし，この場合のみを示します．本書で扱う連続型確率変数の密度関数（5 章の正規分布，指数分布，一様分布，後に学ぶ t 分布，F 分布，χ^2 分布）はすべて連続です．連続でないときには，ちょっと厄介なので省略します．十分小さい正数 h, k に対して，$\varepsilon_1, \varepsilon_2, \varepsilon_3$ を $h, k \to 0$ のときに 0 に収束する量とすると，

$$\mathrm{P}(x \leq X \leq x + h, \; y \leq Y \leq y + k) = f(x, y) hk + \varepsilon_1 hk,$$
$$\mathrm{P}(x \leq X \leq x + h) = f_X(x) h + \varepsilon_2 h,$$
$$\mathrm{P}(y \leq Y \leq y + k) = f_Y(y) k + \varepsilon_3 k,$$

と書けます．X, Y が独立とすると，(6.4) が成り立ちます．(6.4) を再掲すると

$$\mathrm{P}(a \leq X \leq b, \; c \leq Y \leq d) = \mathrm{P}(a \leq X \leq b)\, \mathrm{P}(c \leq Y \leq d).$$

$a = x, b = x + h, c = y, d = y + k$ とおいて，3 つの等式の右辺によっ

て上式を置き換えると，
$$f(x,y)\,hk + \varepsilon_1 hk = (f_X(x)\,h + \varepsilon_2 h)(f_Y(y)k + \varepsilon_3 k).$$
両辺を $hk\,(>0)$ で割り算すれば
$$f(x,y) + \varepsilon_1 = (f_X(x) + \varepsilon_2)(f_Y(y) + \varepsilon_3).$$
$h,k \to 0$ とすれば，$f(x,y) = f_X(x)\,f_Y(y)$ を得ます．

逆を示します．$f(x,y) = f_X(x)\,f_Y(y)$ が成り立っているとき，
$$\begin{aligned}\mathrm{P}(a \leq X \leq b, c \leq Y \leq d) &= \int_a^b \int_c^d f(x,y)\,dy\,dx \\ &= \left(\int_a^b f_X(x)\,dx\right)\left(\int_c^d f_Y(y)\,dy\right) \\ &= \mathrm{P}(a \leq X \leq b)\,\mathrm{P}(c \leq Y \leq d),\end{aligned}$$
となり，(6.4) が成り立ちます．

2次元確率変数 (X,Y) に対する期待値を定義しましょう．

定義 6.4 (2次元確率変数に対する期待値)

(i) 2つの離散型確率変数 X,Y の同時分布を p_{ij}, $i = 1,2,\cdots,M$, $j = 1,2,\cdots,N$ とする．任意の実数値関数 $g(x_i, y_j)$ に対して，X,Y の関数 $g(X,Y)$ の期待値（平均）を次で定義する．
$$E[g(X,Y)] = \sum_{i=1}^M \sum_{j=1}^N g(x_i, y_j) p_{ij}.$$

(ii) 2つの連続型確率変数 X,Y の確率密度関数を $f(x,y)$ とする．任意の実数値関数 $g(x,y)$ に対して，X,Y の関数 $g(X,Y)$ の期待値（平均）を次で定義する．
$$E[g(X,Y)] = \int_{-\infty}^{\infty} \int_{-\infty}^{\infty} g(x,y) f(x,y)\,dx\,dy.$$

確率変数が独立であれば，次の期待値に関する重要な性質が成り立ちます．

定理 6.4 (独立確率変数の積の期待値の公式)　確率変数 X と Y は独立とする．任意の実数値関数 $g_1(x), g_2(y)$ に対して
$$E[g_1(X)g_2(Y)] = E[g_1(X)]E[g_2(Y)].$$
特に，$g_1(x) = x, g_2(y) = y$ のとき，
$$E[XY] = E[X]E[Y].$$

証明

(1) X, Y が離散型確率変数のとき，X, Y の周辺分布がそれぞれ p_i, $i = 1, 2, \cdots, M$, $q_j, j = 1, 2, \cdots, N$ で与えられているとします．X, Y が独立のとき，$p_{ij} = p_i q_j$ ですから

$$\begin{aligned} E[g_1(X)g_2(Y)] &= \sum_{i=1}^{M} \sum_{j=1}^{N} g_1(x_i) g_2(y_j) p_{ij} \\ &= \sum_{i=1}^{M} \sum_{j=1}^{N} g_1(x_i) g_2(y_j) p_i q_j \\ &= \sum_{i=1}^{M} g_1(x_i) p_i \sum_{j=1}^{N} g_2(y_j) q_j \\ &= E[g_1(X)] E[g_2(Y)]. \end{aligned}$$

(2) X, Y が連続型確率変数のとき，X, Y の密度関数がそれぞれ $f_X(x), f_Y(y)$ で与えられているとします．X, Y が独立のとき，$f(x,y) = f_X(x) f_Y(y)$ ですから

$$\begin{aligned} E[g_1(X)g_2(Y)] &= \int_{-\infty}^{\infty} \int_{-\infty}^{\infty} g_1(x) g_2(y) f(x,y) \, dx \, dy \\ &= \int_{-\infty}^{\infty} \int_{-\infty}^{\infty} g_1(x) g_2(y) f_X(x) f_Y(y) \, dx \, dy \\ &= \int_{-\infty}^{\infty} g_1(x) f_X(x) \, dx \int_{-\infty}^{\infty} g_2(y) f_Y(y) \, dy \\ &= E[g_1(X)] E[g_2(Y)]. \end{aligned}$$

この定理の重要な系が次です．独立な確率変数 X, Y の和 $Z = X + Y$ の分布を積率母関数を用いて求める簡便な方法があります．

系 6.1 (独立確率変数の和の積率母関数) X, Y が独立ならば，和 $Z = X + Y$ の積率母関数 $M_Z(t)$ に関して
$$M_Z(t) = M_X(t) M_Y(t).$$

証明 $g_1(x) = e^{tx}, g_2(y) = e^{ty}$ とすれば，定理 6.4 より，
$$E[e^{tX} e^{tY}] = E[e^{tX}] E[e^{tY}]$$
です．したがって，
$$M_Z(t) = E[e^{t(X+Y)}] = E[e^{tX} e^{tY}] = E[e^{tX}] E[e^{tY}] = M_X(t) M_Y(t).$$

定理 6.5 (期待値の線形性，独立確率変数に対する分散の線形性)
(i) 独立な確率変数 X, Y と実数 a, b に対して
$$E[aX + bY] = aE[X] + bE[Y].$$
(ii) X, Y が独立であれば，実数 a, b に対して
$$V[aX + bY] = a^2 V[X] + b^2 V[Y].$$

証明 X, Y が連続型確率変数とし，同時密度関数を $f(x, y)$，それぞれの密度関数を $f_X(x), f_Y(y)$ とします．f, f_X, f_Y が連続の場合のみを示します．
(i) 定理 6.2 を使います．確率変数 X, Y と実数 a, b に対して
$$\begin{aligned} E[aX + bY] &= \int_{-\infty}^{\infty} \int_{-\infty}^{\infty} (ax + by) f(x, y) \, dx \, dy \\ &= \int_{-\infty}^{\infty} ax \int_{-\infty}^{\infty} f(x, y) \, dy \, dx + \int_{-\infty}^{\infty} by \int_{-\infty}^{\infty} f(x, y) \, dx \, dy \\ &= a \int_{-\infty}^{\infty} x f_X(x) \, dx + b \int_{-\infty}^{\infty} y f_Y(y) \, dy \\ &= aE[X] + bE[Y]. \end{aligned}$$

(ii) $\mu_X = E[X]$, $\mu_Y = E[Y]$ とおきます. 分散の定義から

$$V[aX+bY] = \int_{-\infty}^{\infty}\int_{-\infty}^{\infty}\{ax+by-(a\mu_X+b\mu_Y)\}^2 f(x,y)\,dx\,dy$$

被積分項の $\{a(x-\mu_X)+b(y-\mu_Y)\}^2$ を展開して,$f(x,y)=f_X(x)f_Y(y)$ より

$$V[aX+bY] = \int_{-\infty}^{\infty}\int_{-\infty}^{\infty}\{a^2(x-\mu_X)^2+2ab(x-\mu_X)(y-\mu_Y)$$
$$+b^2(y-\mu_Y)^2\}f_X(x)f_Y(y)\,dx\,dy$$
$$= a^2\int_{-\infty}^{\infty}(x-\mu_X)^2 f_X(x)\,dx \int_{-\infty}^{\infty}f_Y(y)\,dx$$
$$+2ab\int_{-\infty}^{\infty}(x-\mu_X)f_X(x)\,dx \int_{-\infty}^{\infty}(y-\mu_Y)f_Y(y)\,dy$$
$$+b^2\int_{-\infty}^{\infty}(y-\mu_Y)^2 f_Y(y)\,dy \int_{-\infty}^{\infty}f_X(x)\,dx. \tag{6.5}$$

ここで,$\int_{-\infty}^{\infty}f_X(x)\,dx=1$,$\int_{-\infty}^{\infty}f_2(x)\,dy=1$ であり,

$$\int_{-\infty}^{\infty}(x-\mu_X)f_X(x)\,dx = E[X]-\mu_X = 0,$$
$$\int_{-\infty}^{\infty}(y-\mu_Y)f_Y(y)\,dy = E[Y]-\mu_Y = 0.$$

これらを (6.5) に代入すると,

$$V[aX+bY] = a^2\int_{-\infty}^{\infty}(x-\mu_X)^2 f_X(x)\,dx + b^2\int_{-\infty}^{\infty}(y-\mu_Y)^2 f_Y(y)\,dy$$
$$= a^2 V[X] + b^2 V[Y].$$

X,Y が離散型確率変数の場合も同様に示すことができます(章末問題).

独立ではない確率変数 X,Y がどれほど関連しているのか? を知りたい場合があります.その関係の強さを計る指標の1つが共分散,相関係数です.定義は次です.

> **定義 6.5 (共分散，相関係数)** 確率変数 X, Y に対して，$\mu_X = E[X]$, $\mu_Y = E[Y]$ とする．共分散を $Cov(X, Y)$ と書き，次で定義する．
> $$Cov(X, Y) = E[(X - \mu_X)(Y - \mu_Y)].$$

> **定義 6.6 (共分散，相関係数（つづき）)** 相関係数を $\rho(X, Y)$ と書き，次で定義する．$\sigma_X^2 = V[X], \sigma_Y^2 = V[Y]$ とし，
> $$\rho(X, Y) = \frac{Cov(X, Y)}{\sigma_X \sigma_Y} = E\left[\left(\frac{X - \mu_X}{\sigma_X}\right)\left(\frac{Y - \mu_Y}{\sigma_Y}\right)\right].$$

$\rho(X, Y) > 0$ のとき**正の相関**，$\rho(X, Y) < 0$ のとき**負の相関**，$\rho(X, Y) = 0$ のとき**無相関**であるといいます．相関係数は $-1 \leq \rho(X, Y) \leq 1$ が成り立ちます．やや技巧的ですが次のように示すことができます．任意の実数 λ に対して，
$$E[\{\lambda(X - \mu_X) + (Y - \mu_Y)\}^2] \geq 0$$
ですから，左辺を展開すると
$$\text{左辺} = E[\lambda^2(X - \mu_X)^2] + E[2\lambda(X - \mu_X)(Y - \mu_Y)] + E[(Y - \mu_Y)^2]$$
$$= \sigma_X^2 \lambda^2 + 2Cov(X, Y)\lambda + \sigma_Y^2 \geq 0.$$
どんな実数 λ に対しても，この λ の 2 次方程式が非負になるためには，判別式 ≤ 0 でなければなりません．すなわち，
$$Cov(X, Y)^2 - \sigma_X^2 \sigma_Y^2 \leq 0.$$
両辺を $\sigma_X^2 \sigma_Y^2$ で割れば，
$$\rho(X, Y)^2 = \frac{Cov(X, Y)^2}{\sigma_X^2 \sigma_Y^2} \leq 1$$
が成り立ちます．

共分散の計算は，次の公式が便利です．

> **定理 6.6 (共分散の公式)** $Cov(X,Y) = E[XY] - \mu_X \mu_Y$.

証明 定理 6.5(i) より，

$$\begin{aligned}Cov(X,Y) &= E[(X-\mu_X)(Y-\mu_Y)] \\ &= E[XY - \mu_X Y - X\mu_Y + \mu_X \mu_Y] \\ &= E[XY] - \mu_X E[Y] - E[X]\mu_Y + \mu_X \mu_Y \\ &= E[XY] - \mu_X \mu_Y.\end{aligned}$$

この公式から，X,Y が独立であるとき，$E[XY] = E[X]E[Y] = \mu_X \mu_Y$ であることより，$Cov(X,Y) = 0$ であることがわかります．このとき $\rho(X,Y) = 0$ もわかります．すなわち，「**独立ならば無相関**」です．しかし，逆は必ずしも成り立ちませんので要注意です．

> **例 6.1 (2 次元正規分布)** 2 次元の確率変数 (X,Y) が次の同時確率密度関数をもつとき，2 次元正規分布に従うといいます．
>
> $$\begin{aligned}f(x,y) = &\frac{1}{2\pi\sigma_X\sigma_Y\sqrt{1-\rho^2}} \exp\left[-\frac{1}{2(1-\rho^2)}\left\{\left(\frac{x-\mu_X}{\sigma_X}\right)^2\right.\right. \\ &\left.\left. -2\rho\left(\frac{x-\mu_X}{\sigma_X}\right)\left(\frac{y-\mu_Y}{\sigma_Y}\right) + \left(\frac{y-\mu_Y}{\sigma_Y}\right)^2\right\}\right].\end{aligned}$$
>
> ここで，$\mu_X = E[X]$, $\mu_Y = E[Y]$, $\sigma_X^2 = V(X)$, $\sigma_Y^2 = V[Y]$, $\rho = Cov(X,Y)$ です．

6.2 多次元確率分布

確率変数が 3 個以上になったときも，2 個の場合と同様の結果が成り立ちます．この節は「はじめに」に書いたことに反して，ほとんど証明を与えていません．2 次元の場合と本質的に同じだからです．留意してください．

定義 6.7 (多次元確率分布)

(i) $n\,(n \geq 3)$ 個の離散型確率変数 $X_1, \cdots, X_n$ に対して，それぞれの確率分布が

$$P(X_1 = x_{i_1}^1) = p_{i_1}^1, i_1 = 1, 2, \cdots, M_1,$$

$$\cdots$$

$$P(X_n = x_{i_n}^n) = p_{i_n}^n, i_n = 1, 2, \cdots, M_n,$$

であるとき，$i_j = 1, 2, \cdots, M_j,\ j = 1, 2, \cdots, n$ に対して，

$$P(X_1 = x_{i_1}^1, \cdots, X_n = x_{i_n}^n) = p_{i_1 i_2 \cdots i_n},$$

を $X_1, X_2, \cdots, X_n$ の**同時分布**または**結合分布**という．

(ii) $n\,(n \geq 3)$ 個の連続型確率変数 $X_1, X_2, \cdots, X_n$ に対する事象の確率が，任意の実数 $a_1 < b_1, \cdots, a_n < b_n$ に対して，

$$P(a_1 \leq X_1 \leq b_1, \cdots, a_n \leq X_n \leq b_n)$$
$$= \int_{a_1}^{b_1} \cdots \int_{a_n}^{b_n} f(x_1, \cdots, x_n)\, dx_1 \cdots dx_n$$

で与えられるとき，$f(x_1, \cdots, x_n)\,(\geq 0)$ を $X_1, \cdots, X_n$ の**同時確率密度関数**という．

全事象の確率=1 ですから，非負値関数 $f(x_1, \cdots, x_n)$ は

$$\int_{-\infty}^{\infty} \cdots \int_{-\infty}^{\infty} f(x_1, \cdots, x_n)\, dx_1 \cdots dx_n = 1$$

をみたします．2個の確率変数のときと同様に独立性について次が成り立ちます．

定理 6.7 (多次元確率変数の独立性の必要十分条件)

n 個の確率変数 $X_1, X_2, \cdots, X_n$ が互いに独立であるための必要十分条件は，X_i の確率密度関数が $f_i(x_i), i = 1, 2, \cdots, n$ であるとき，

$$f(x_1, x_2, \cdots, x_n) = f_1(x_1) f_2(x_2) \cdots f_n(x_n)$$

が成り立つことである．

多次元確率変数の積率母関数の定義は次です．

> **定義 6.8 (多次元確率変数の積率母関数)** n 個の確率変数 $X_1, X_2, \cdots, X_n$ に対しての**積率母関数**を
> $$M_{X_1, X_2, \cdots, X_n}(t_1, t_2, \cdots, t_n) = E[e^{t_1 X_1 + t_2 X_2 + \cdots + t_n X_n}]$$
> と定義する．

6.3 分布の再生性

たとえば，X, Y は独立であり，X が二項分布 $B(n_1, p)$ に従い，Y も二項分布 $B(n_2, p)$ に従うとします．それらの和 $Z = X + Y$ の分布が再び二項分布に従うとき，二項分布は**再生性**をもつといいます．二項分布，ポアソン分布，正規分布は再生性をもちます．これらの事実は次章以降で活用されます．

> **定理 6.8 (二項分布，ポアソン分布，正規分布の再生性 1)** 独立な確率変数 X, Y に対して，次が成り立つ．
> (i) 二項分布：$X \sim B(n_1, p),\ Y \sim B(n_2, p)$ ならば，$Z = X + Y \sim B(n_1 + n_2, p)$．
> (ii) ポアソン分布：$X \sim Po(\lambda_1),\ Y \sim Po(\lambda_2)$ ならば，$Z = X + Y \sim Po(\lambda_1 + \lambda_2)$．
> (iii) 正規分布：$X \sim N(\mu_1, \sigma_1^2),\ Y \sim N(\mu_2, \sigma_2^2)$ ならば，$Z = X + Y \sim N(\mu_1 + \mu_2, \sigma_1^2 + \sigma_2^2)$．

証明 定理 4.5 を使います．

(i) $Z = X + Y$ の積率母関数は，X, Y が独立なので，系 6.1 より
$$M_Z(t) = M_X(t) M_Y(t).$$

二項分布 $B(n, p)$ の積率母関数は $M_X(t) = (pe^t + q)^n$ だから，
$$M_Z(t) = (pe^t + q)^{n_1} \times (pe^t + q)^{n_2} = (pe^t + q)^{n_1 + n_2}.$$

これは，Z が $B(n_1 + n_2, p)$ に従うことを示しています．

(ii) 同様に，ポアソン分布 $Po(\lambda)$ の積率母関数は $M_X(t) = e^{\lambda(e^t-1)}$ だから，
$$M_Z(t) = M_X(t)M_Y(t) = e^{\lambda_1(e^t-1)} \times e^{\lambda_2(e^t-1)} = e^{(\lambda_1+\lambda_2)(e^t-1)}.$$
これは，Z が $Po(\lambda_1 + \lambda_2)$ に従うことを示しています。

(iii) 同様に，正規分布 $N(\mu, \sigma^2)$ の積率母関数は $M_X(t) = \exp\left\{\mu t + \frac{\sigma^2 t^2}{2}\right\}$ だから，
$$\begin{aligned}
M_Z(t) &= M_X(t)M_Y(t) \\
&= \exp\left\{\mu_1 t + \frac{\sigma_1^2 t^2}{2}\right\} \times \exp\left\{\mu_2 t + \frac{\sigma_2^2 t^2}{2}\right\} \\
&= \exp\left\{(\mu_1 + \mu_2)t + \frac{(\sigma_1^2 + \sigma_2^2)t^2}{2}\right\}.
\end{aligned}$$
これは，Z が $N(\mu_1 + \mu_2, \sigma_1^2 + \sigma_2^2)$ に従うことを示しています。

帰納法により，再生性を3個以上の確率変数に対して拡張でき，結果的に次を得ます。

定理 6.9 (二項分布，ポアソン分布，正規分布の再生性2) 互いに独立な確率変数 $X_1, X_2, \cdots, X_n$ に対して，次が成り立つ。

(i) 二項分布：$X_1 \sim B(n_1, p), \cdots, X_n \sim B(n_n, p)$ ならば，
$X_1 + \cdots + X_n \sim B(n_1 + \cdots + n_n, p)$.

(ii) ポアソン分布：$X_1 \sim Po(\lambda_1), \cdots, X_n \sim Po(\lambda_n)$ ならば，
$X_1 + \cdots + X_n \sim Po(\lambda_1 + \cdots + \lambda_n)$.

(iii) 正規分布：$X_1 \sim N(\mu_1, \sigma_1^2), \cdots, X_n \sim N(\mu_n, \sigma_n^2)$ ならば，
$X_1 + \cdots + X_n \sim N(\mu_1 + \cdots + \mu_n, \sigma_1^2 + \cdots + \sigma_n^2)$.

6章の演習問題

6.1 (確率変数の独立) 例題 6.1 の確率変数 X, Y は独立か？

6.2 (同時密度，周辺密度) X, Y の同時密度関数が
$$f(x, y) = \begin{cases} cx^2(y - y^2), & 0 < x < 1, 0 < y < 1, \\ 0, & \text{その他} \end{cases}$$

のとき，(1) 定数 c の値を求めよ．(2) 周辺密度関数 $f_X(x), f_Y(y)$ を求めよ．
(3) X, Y は独立か？

6.3 (期待値の線形性)　X, Y が離散型確率変数のとき，定理 6.5 (i), (ii) を証明せよ．

6.4 (積率母関数)　X_1, X_2, X_3 は互いに独立で，それぞれパラメータ $1, 2, 3$ のポアソン分布に従うとする．$Y = X_1 + X_2 + X_3$ の積率母関数 $M_Y(t)$ を求めよ．

6.5 (共分散，相関係数)　例題 6.1 の X, Y に対して，共分散 $Cov(X, Y)$ と相関係数 $\rho(X, Y)$ を求めよ．

7 中心極限定理

母集団の平均 μ を調べたいとします．n 個の標本を $X_1, \cdots, X_n$ とします．標本数 n を大きくしたときに，標本平均 $\bar{X}_n = \frac{1}{n}\sum_{i=1}^{n} X_i$ は μ に近づくかどうか？ $\bar{X}_n$ はどういう分布に近づいていくのか？ 大まかにいうと，n を大きくしたときに標本平均のような統計量が何に近づくのかを調べるのが極限定理です．中でも重要な中心極限定理を学びます．

7.1 大数の法則

まず，平均と分散があれば，すべての確率分布に適用できるチェビシェフ不等式を述べます．実務ではほとんど使われませんが，次に述べる大数の法則の証明で使われます．

> **定理 7.1 (チェビシェフの不等式)** 確率変数 X の平均を μ，分散を σ^2 とすると，すべての $\alpha > 0$ に対して次が成り立つ．
> $$P(|X - \mu| \geq \alpha) \leq \frac{\sigma^2}{\alpha^2} \tag{7.1}$$

証明 X が連続型の場合．X の密度関数を $f(x)$ として，

$$\begin{aligned}
\sigma^2 &= E[(X-\mu)^2] \\
&= \int_{-\infty}^{\infty} (x-\mu)^2 f(x)\,dx \\
&= \int_{-\infty}^{\mu-\alpha} (x-\mu)^2 f(x)\,dx + \int_{\mu-\alpha}^{\mu+\alpha} (x-\mu)^2 f(x)\,dx \\
&\quad + \int_{\mu+\alpha}^{\infty} (x-\mu)^2 f(x)\,dx \\
&\geq \int_{-\infty}^{\mu-\alpha} (x-\mu)^2 f(x)\,dx + \int_{\mu+\alpha}^{\infty} (x-\mu)^2 f(x)\,dx
\end{aligned}$$

$(X \leq \mu-\alpha \text{ かつ } \mu+\alpha \leq X) \iff (X-\mu)^2 \geq \alpha^2$ ですから，被積分関数 $(x-\mu)^2$ をより小さい σ^2 で置き換えると

$$\begin{aligned}
\sigma^2 &\geq \int_{-\infty}^{\mu-\alpha} \alpha^2 f(x)\,dx + \int_{\mu-\alpha}^{\infty} \alpha^2 f(x)\,dx \\
&= \alpha^2 \left\{ \int_{-\infty}^{\mu-\alpha} f(x)\,dx + \int_{\mu-\alpha}^{\infty} f(x)\,dx \right\} \\
&= \alpha^2 \left\{ \mathrm{P}(X \leq \mu-\alpha) + \mathrm{P}(X \geq \mu-\alpha) \right\} \\
&= \alpha^2 \mathrm{P}(|X-\mu| \geq \alpha).
\end{aligned}$$

両辺を α^2 で割って，(7.1) を得ます．X が離散型の場合も同様に証明されます．これは章末の演習問題としましょう．

次の補題を用意します．

補題 7.1 $X_1, X_2, \cdots, X_n$ を，平均が μ，分散が σ^2 である同じ確率分布に従う独立な確率変数列とし，$\bar{X}_n = \frac{1}{n} \sum_{k=1}^{n} X_k$（標本平均）とする．このとき $E[\bar{X}_n] = \mu$, $V[\bar{X}_n] = \frac{\sigma^2}{n}$.

証明 定理 6.5 の期待値の線形性より，

$$\begin{aligned}
E[\bar{X}_n] &= \frac{1}{n} E[(X_1 + X_2 + \cdots + X_n)] \\
&= \frac{1}{n} (E[X_1] + E[X_2] + \cdots + E[X_n]),
\end{aligned}$$

です．$X_1, \cdots, X_n$ は独立で同一分布に従い，$E[X_1] = E[X_2] = \cdots = E[X_n] = \mu$ です．したがって，

$$E[\bar{X}_n] = \frac{1}{n} \times n\mu = \mu$$

を得ます．次に $V[\bar{X}_n] = \frac{\sigma^2}{n}$ を示しましょう．$X_1, \cdots, X_n$ は独立なので，再び定理 6.5 より

$$V[\bar{X}_n] = V\left[\frac{1}{n}(X_1 + \cdots + X_n)\right] = \frac{1}{n^2}\{V[X_1] + \cdots + V[X_n]\}$$

$X_1, \cdots, X_n$ は独立ですから，$V[X_1] = V[X_2] = \cdots = V[X_n] = \sigma^2$．したがって，$V[\bar{X}_n] = \frac{\sigma^2}{n}$ を得ます．

定理 7.2 (大数の（弱）法則) $X_1, X_2, \cdots, X_n$ を独立で同じ確率分布に従う確率変数列とし，その平均を μ，分散を σ^2 とする．$\bar{X}_n = \frac{1}{n}\sum_{i=1}^n X_i$（標本平均）とする．このとき任意の $\varepsilon > 0$ に対して，

$$\lim_{n \to \infty} \mathrm{P}(|\bar{X}_n - \mu| \geq \varepsilon) = 0 \tag{7.2}$$

(7.2) の形の収束を確率収束と呼んでいます．「標本平均 $\bar{X}_n$ は μ に確率収束する」という言い方をします．実際には，さらに強い法則（**大数の（強）法則**）「$n \to \infty$ のとき $\bar{X}_n$ が μ に収束する確率が 1 である」が成り立ちます．が，本書のレベルでは残念ながら詳しく扱えません．

証明 補題 7.1 より，$V[\bar{X}_n] = \frac{\sigma^2}{n}$ です．これとチェビシェフの不等式より，

$$0 \leq \mathrm{P}(|\bar{X}_n - \mu| \geq \varepsilon) \leq \frac{1}{\varepsilon^2} V[\bar{X}_n] = \frac{1}{\varepsilon^2} \frac{\sigma^2}{n}.$$

よって，$n \to \infty$ とすれば，(7.2) が成り立ちます．

7.2 中心極限定理

大数の法則と同じ条件のもとで，$\bar{X}_n$ の分布は $n \to \infty$ のときにどんな分布に近づくのかを考えます．何かの特定の確率分布に近づくのでしょうか？そうならばどんな分布になるのでしょうか？この答えが次の中心極限定理です．$X_1, \cdots, X_n$ の分布が「何であっても」平均 μ と分散 σ^2 が存在すれば，

$\bar{X}_n = \frac{1}{n}\sum_{i=1}^n X_i$（標本平均）の確率分布は正規分布 $N(\mu, \sigma^2/n)$ に収束します．通常は「$\bar{X}_n$ を正規化した $Z_n = \frac{\bar{X}_n - \mu}{\sigma/\sqrt{n}}$ の確率分布が，$n \to \infty$ のとき標準正規分布 $N(0,1)$ に収束する」という記述の仕方をします．

定理 7.3 (中心極限定理) $X_1, X_2, \cdots, X_n$ を互いに独立で同じ確率分布に従う確率変数列とし，その平均を μ，分散を σ^2，$\bar{X}_n = \frac{1}{n}\sum_{i=1}^n X_i$（標本平均）とする．このとき，

$$Z_n = \frac{\bar{X}_n - \mu}{\sigma/\sqrt{n}}$$

の確率分布は，$n \to \infty$ のとき標準正規分布 $N(0,1)$ に収束する．すなわち任意の実数 α, β $(\alpha \leq \beta)$ に対して，

$$P(\alpha \leq Z_n \leq \beta) \to \int_\alpha^\beta \frac{1}{\sqrt{2\pi}} e^{-\frac{x^2}{2}} \, dx \quad (n \to \infty).$$

証明 実は，証明は本書の水準を超えています．ここでは，定理 4.5「積率母関数と確率分布は 1 対 1 対応する」を使った初等的証明を与えて，定理の証明に代えます．$X_1, X_2, \cdots$ を独立同一分布に従う確率変数列として，その積率母関数 $M_{X_i}(t) = E[e^{tX_i}]$ がすべての t について定まるものとします（この仮定のもとでの限定的証明です）．このとき，Z_n の積率母関数 $M_{Z_n}(t)$ は $n \to \infty$ のとき標準正規分布の積率母関数 $e^{t^2/2}$ に収束することを示します．

$$\begin{aligned}
M_{Z_n}(t) &= E[e^{tZ_n}] \\
&= E\left[\exp\left\{\frac{\bar{X}_n - \mu}{\sigma/\sqrt{n}} t\right\}\right] \\
&= E\left[\exp\left\{\frac{\frac{X_1 + \cdots + X_n}{n} - \mu}{\sigma/\sqrt{n}} t\right\}\right] \\
&= E\left[\exp\left\{\frac{t}{\sqrt{n\sigma^2}} \sum_{i=1}^n (X_i - \mu)\right\}\right] \\
&= E\left[\exp\left\{\frac{t}{\sqrt{n\sigma^2}}(X_1 - \mu)\right\} \times \cdots \times \exp\left\{\frac{t}{\sqrt{n\sigma^2}}(X_n - \mu)\right\}\right]
\end{aligned}$$

$X_1, \cdots, X_n$ は互いに独立なので,
$$\exp\left\{\frac{t}{\sqrt{n\sigma^2}}(X_1 - \mu)\right\}, \cdots, \exp\left\{\frac{t}{\sqrt{n\sigma^2}}(X_n - \mu)\right\}$$
も互いに独立な確率変数です．定理 6.4 から，独立確率変数の積の期待値は，独立確率変数の期待値の積に等しくなります．さらに，$X_1, \cdots, X_n$ は同一の確率分布に従うので，すべてを確率変数 X_1 と同じとみなしてよく，
$$M_{Z_n}(t) = \left(E\left[\exp\left\{\frac{t}{\sqrt{n\sigma^2}}(X_1 - \mu)\right\}\right]\right)^n$$
を得ます．ここで，e^x のマクローリン展開：
$$e^x = 1 + x + \frac{x^2}{2!} + \frac{x^3}{3!} + \cdots$$
を使うと，
$$M_{Z_n}(t) = \left(E\left[\exp\left\{\frac{t}{\sqrt{n\sigma^2}}(X_1 - \mu)\right\}\right]\right)^n$$
$$= \left(E\left[1 + \frac{t}{\sqrt{n\sigma^2}}(X_1 - \mu) + \frac{t^2}{2n\sigma^2}(X_1 - \mu)^2 + \cdots\right]\right)^n$$
$$= \left(1 + \frac{t}{\sqrt{n\sigma^2}}(E[X_1] - \mu) + \frac{t^2}{2n\sigma^2}E[(X_1 - \mu)^2]\right.$$
$$\left. + \frac{t^3}{6(n\sigma^2)^{2/3}}E[(X_1 - \mu)^3] + \cdots\right)^n.$$
これに $E[X_1] = \mu$, $E[(X_1 - \mu)^2] = V[X_1] = \sigma^2$ を代入すると，
$$M_{Z_n}(t) = \left(1 + \frac{t^2/2}{n} + O(n^{-3/2})\right)^n.$$
$O(n^{-3/2})$ は $n^{3/2}$ を掛けて有界であるものを表すとしています．$n \to \infty$ とすれば，$O(n^{-3/2}) \to 0$ であり，$\left(1 + \frac{x}{n}\right)^n \to e^x$ でしたから，
$$\lim_{n \to \infty} M_{Z_n}(t) = e^{t^2/2}$$
を得ます．

中心極限定理の条件「$X_1, X_2, \cdots, X_n$ を互いに独立で同じ確率分布に従う確率変数列とし，その平均を μ, 分散を σ^2 とする」は，標本調査では「平均 μ, 分散 σ^2 をもつ母集団分布から，大きさ n の標本 $X_1, \cdots, X_n$ を無作為（恣意をはさまずに）に抽出する」という意味になります．中心極限定理は「十分大き

な数の標本を無作為抽出すれば，その標本平均 $\bar{X}_n$ は，正規分布 $N\left(\mu, \sigma^2/n\right)$ で近似してよい」という理論的根拠を与えることになります．これが，n が十分に大きいときのパラメータ（μ や σ^2 など，詳しくは 8.1 参照）の推定・検定において中心極限定理が重要な役割を担う理由です．

7.3　二項分布の正規近似

中心極限定理を使えば二項分布を正規分布によって近似できることを見ていきます．ある試行を独立に n 回繰り返します．1 回の試行で，ある事象 A が起こる確率を p とし，i 回目 $(i = 1, 2, \cdots, n)$ の試行において，X_i を次のように定義します．

$$X_i = \begin{cases} 1, & i\text{ 回目に事象 } A \text{ が起こったとき,} \\ 0, & i\text{ 回目に事象 } A \text{ が起こらなかったとき.} \end{cases}$$

$X_1, X_2, \cdots, X_n$ は互いに独立で同じ確率分布（これを**ベルヌーイ分布**と呼びます）に従い，計算すればすぐにわかりますが X_i の平均は p，分散は $p(1-p)$ となります．このとき，中心極限定理より

$$Z_n = \frac{\bar{X}_n - p}{\sqrt{\frac{p(1-p)}{n}}} = \frac{S_n - np}{\sqrt{np(1-p)}}$$

の確率分布は，$n \to \infty$ のとき標準正規分布 $N(0,1)$ に収束します．ここで，

$$S_n = X_1 + X_2 + \cdots + X_n, \quad \bar{X}_n = \frac{S_n}{n}.$$

S_n は n 回のうちで事象 A が起こる回数を表します．したがって，確率変数 S_n は二項分布 $B(n, p)$ に従います．つまり，次が成り立ちます．

定理 7.4 (二項分布の正規近似：ド・モアブル-ラプラスの定理)　S_n が二項分布 $B(n, p)$ に従うとき，

$$Z_n = \frac{S_n - np}{\sqrt{np(1-p)}}$$

の確率分布は，$n \to \infty$ のとき標準正規分布 $N(0,1)$ に収束する．

これは n が十分に大きいとき，二項分布 $B(n,p)$ は正規分布 $N(np, np(1-p))$

7.3 二項分布の正規近似

で近似してもよいことを示しています．使い方を練習してみましょう．

> **例題 7.1 (二項分布の正規近似)** コインを 400 回投げる．表が 178 回以上 210 回以下出る確率は？

解答 まず，S_{400} を 400 回中に表の出る回数とすると，S_{400} は二項分布に従い，$S_{400} \sim B\left(400, \frac{1}{2}\right)$．$n = 400$ は十分大きいので二項分布を正規分布で近似できます．$p = \frac{1}{2}$ だから，

$$np = 400 \times \frac{1}{2} = 200, \quad np(1-p) = 400 \times \frac{1}{2} \times \frac{1}{2} = 100 = 10^2.$$

したがって，$S_{400} \sim N(200, 10^2)$．次に，

$$Z = \frac{S_{400} - 200}{10}$$

と正規化すると，$Z \sim N(0, 1)$．求める確率は，$P(178 \leq S_{400} \leq 210)$ ですが，ここで**半整数補正**をします．半整数補正とは，離散型確率変数 X を連続型確率変数とみなすときに，

$$P(\alpha \leq X \leq \beta) \approx P(\alpha - 0.5 \leq X \leq \beta + 0.5)$$

と補正することをいいます．

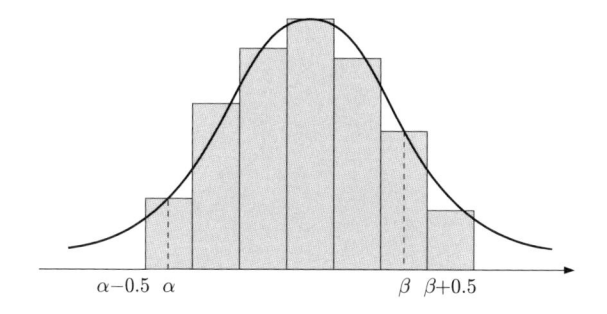

これより,

$$P(178 \leq S_{400} \leq 210) \approx P(177.5 \leq S_{400} \leq 210.5)$$
$$= P\left(\frac{177.5 - 200}{10} \leq \frac{S_{400} - 200}{10} \leq \frac{210.5 - 200}{10}\right)$$
$$= P(-2.25 \leq Z \leq 1.05)$$
$$= I(1.05) + I(2.25) = 0.3531 + 0.4878 = 0.8409.$$

―――――――――― 7章の演習問題 ――――――――――

7.1 (チェビシェフの不等式) X が離散型確率変数のとき, チェビシェフの不等式を証明せよ.

7.2 (中心極限定理) $0, 1, \cdots, 9$ が同じ確率で出現する 1 桁の乱数表がある.

(1) 1 桁の乱数の平均と分散は?

(2) 乱数を 50 個取ったとき, その平均が 4 以上かつ 5 以下である確率は?

7.3 (二項分布の正規近似) サイコロを 50 回投げる. 1 の目が出る回数が 6 回以上, 10 回以下である確率を

(1) 二項分布より計算

(2) 二項分布を正規分布で近似

という 2 通りの方法で求めよ.

8 標本分布

標本平均以外に標本分散や不偏分散などのさまざまな統計量（標本 $X_1, \cdots, X_n$ から作られる関数を**統計量**と呼びます）があります．本章は**正規母集団からの標本による統計量の分布を与える**

$$\chi^2 \text{分布（カイ 2 乗分布)}, F \text{分布}, t \text{分布}$$

とその性質を学びます．これらは後の章で学ぶ推定，検定に出てきます．煩わしげな数式と難しそうな証明が続きますが，推定，検定の理論的根拠を与えますので，証明以上にその意味を重視してください．

8.1 標本，パラメータ，統計量

母集団から取り出した一部を**標本**といいます．取り出す操作を標本調査，標本の個数を標本の**大きさ**と呼びます．母集団は無限個の要素からなると考えることが多く，本書でもそう仮定します．母集団からの標本は，取り出すまではわからないので確率変数と考え，この確率変数が従う確率分布を母集団分布と呼んでいます．標本を抜き出した後には値が定まります．それを確率変数 $X_1, X_2, \cdots, X_n$ の**実現値**といい，通常は小文字 $x_1, x_2, \cdots, x_n$ で表現します．

標本の値から母集団分布の特性を知りたいとします．標本を作為的に抜き出すと，母集団の特性を知ることに対してバイアスがかかることから，無作為（恣意を挟まず）に抽出しなくてはいけません．このように抜き出された標本を**無作為標本**と呼んでいます．大切な読み替えは次です．

　　　「**母集団から無作為抽出する大きさ n の標本 $X_1, X_2, \cdots, X_n$**」
　　$\iff$「**互いに独立な同じ確率分布に従う確率変数列 $X_1, X_2, \cdots, X_n$**」

ところで，確率変数とはある確率空間上で定義された実数値関数であったので，無作為標本 $X_1, X_2, \cdots, X_n$ を確率変数列と捉えるためには，確率空間を構成し，その上で定義しなければいけないわけですが，実務上は確率空間は明示しない場合が多く，標本（確率変数）はある適切な確率空間上で定義されているものと仮定しています．それゆえに標本調査では確率空間には通常言及はしません．その度に書くと大変ですし．

多くの場合，母集団は正規分布に従うと仮定します．これを**正規母集団**といいます．正規母集団分布を特定するものは平均と分散ですが，この平均と分散のように母集団分布の特徴を定めるものを**パラメータ（母数）**と呼んでいます．母集団の平均，分散をそれぞれ，**母平均，母分散**と呼びます．

すでに 1 章で定義したことですが，標本調査における標本平均，標本分散，標本標準偏差を再掲し，新たに不偏分散を定義します．

定義 8.1 大きさ n の標本 $X_1, X_2, \cdots, X_n$ に対して，次の量を標本平均，標本分散，標本標準偏差，不偏分散という．

標本平均: $\quad \bar{X}_n = \dfrac{1}{n} \sum_{i=1}^{n} X_i$

標本分散: $\quad S^2 = \dfrac{1}{n} \sum_{i=1}^{n} (X_i - \bar{X}_n)^2$

標本標準偏差: $\quad S = \sqrt{S^2}$

不偏分散: $\quad U^2 = \dfrac{1}{n-1} \sum_{i=1}^{n} (X_i - \bar{X}_n)^2 = \dfrac{n}{n-1} S^2$

不偏分散の意味は次章で解説しますので，ひとまずは横においてください．

さて，補題 7.1 を標本調査の言葉で言い換えてみましょう．

補題 8.1 母平均 μ，母分散 σ^2 の母集団から無作為抽出により得られた大きさ n の標本の標本平均を $\bar{X}_n$ とする．標本平均 $\bar{X}_n$ の確率分布の平均は μ，分散は $\dfrac{\sigma^2}{n}$ である．

8.2 正規母集団と標本平均

正規母集団を考えます．§6.3 で学んだように正規分布には再生性という性質がありました．その定理 6.9 (iii) を，標本調査向けに表現したものが次です．ありがたいことに標本 n の大きさは何であっても成り立ちます．

> **定理 8.1 (正規分布に従う統計量)** $X_1, X_2, \cdots, X_n$ を正規母集団 $N(\mu, \sigma^2)$ からの無作為標本とすると，その標本平均 $\bar{X}_n$ は正規分布 $N(\mu, \sigma^2/n)$ に従う．そして，$E[\bar{X}_n] = \mu$, $V[\bar{X}_n] = \frac{\sigma^2}{n}$.

証明 定理 6.9 (iii) の正規分布の再生性より，$S_n = X_1 + X_2 + \cdots + X_n$ は正規分布 $N(n\mu, n\sigma^2)$ に従います．ところで，

「$X \sim N(\mu, \sigma^2)$ のとき，実数 a, b に対して，$Y = aX + b \sim N(a\mu + b, a^2 \sigma^2)$」

（章末の演習問題にします）であることから，$S_n \sim N(n\mu, n\sigma^2)$ のとき，実数 $a = \frac{1}{n}, b = 0$ に対して，$\bar{X}_n = \frac{S_n}{n} \sim N\left(\frac{n\mu}{n}, \left(\frac{1}{n}\right)^2 n\sigma^2\right) = N(\mu, \sigma^2/n)$ であることがわかります． ∎

定理 8.1 と補題 8.1 との違いには注意してください．補題 8.1 は母集団分布に制限がありません．

> **例題 8.1 (正規母集団の標本平均)** ある年度の A 大学の入学試験得点は正規分布 $N(500, 50^2)$ に従う．4人を無作為抽出するとき，標本平均が 520 点以上である確率は？

解答 定理 8.1 から，標本平均 $\bar{X}_4$ は $N(500, 50^2/4) = N(500, 25^2)$ に従います．$Z = \frac{\bar{X}_4 - 500}{25}$ と正規化すると，$Z \sim N(0, 1)$ です．求める確率は

$$P(\bar{X}_4 \geq 520) = P\left(Z \geq \frac{520 - 500}{25}\right) = P(Z \geq 0.8) = 0.5 - I(0.8).$$

正規分布表から $I(0.8) \approx 0.2881$ なので，答えは 0.2119. ∎

正規母集団からの無作為抽出による標本平均は正規分布に従うことがわかりました．では，標本分散や不偏分散に関する統計量の確率分布はどうなるのでしょうか．これを考えるために新しく χ^2 分布，F 分布を学びます．

8.3 χ^2 分布

まず定義からです.

> **定義 8.2 (χ^2 分布)** 確率密度関数 f が自然数 n に対して
> $$f_n(x) = \frac{1}{2^{\frac{n}{2}}\Gamma\left(\frac{n}{2}\right)} x^{\frac{n-2}{2}} e^{-\frac{x}{2}}, \quad x > 0, \tag{8.1}$$
> $f_n(x) = 0, x \le 0$ で与えられている確率分布を**自由度 n の χ^2 (カイ2乗) 分布**という.

複雑な密度関数です[1]. ここで, $\Gamma(y)$ は**ガンマ関数**といい, $(0, \infty)$ 上の関数で,
$$\Gamma(y) = \int_0^\infty x^{y-1} e^{-x} \, dx \quad (y > 0) \tag{8.2}$$
と定義されます.

確率変数 χ^2 が自由度 n の χ^2 分布に従っているときに, n と α から
$$P(\chi^2 \ge \chi_n^2(\alpha)) = \alpha \tag{8.3}$$
となる $\chi_n^2(\alpha)$ を与える[2]数表が作られています.

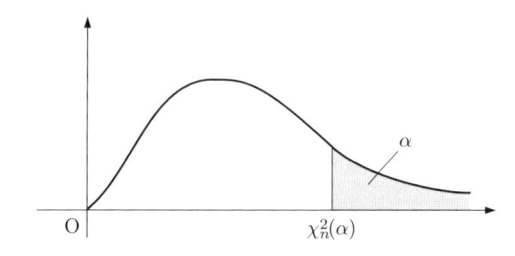

図 8.1 自由度 n の χ^2 分布の上側 α 点

---

[1] $2^{n/2} = \sqrt{2^n}$.
[2] 上側 α 点といいます.

χ^2 分布が現れてくる場合が次の定理です.

> **定理 8.2 (カイ 2 乗分布に従う統計量 1)** $X_1, X_2, \cdots, X_n$ を正規母集団 $N(\mu, \sigma^2)$ からの無作為標本とする (すなわち, $X_1, \cdots, X_n$ は互いに独立で同一の正規分布 $N(\mu, \sigma^2)$ に従うとする). 正規化した $Z_i = \frac{X_i - \mu}{\sigma} \sim N(0, 1)$ に対して,
> $$\chi^2 = \sum_{i=1}^n Z_i^2 = Z_1^2 + Z_2^2 + \cdots + Z_n^2$$
> は自由度 n の χ^2 分布に従う.

証明 自由度 n の χ^2 分布を χ_n^2 とします. その積率母関数が, $\chi^2 = \sum_{i=1}^n Z_i^2$ の積率母関数に一致することを示します. まず前者を計算しましょう. $t < \frac{1}{2}$ に対して

$$M_{\chi_n^2}(t) = E[e^{t\chi_n^2}] = \int_0^\infty e^{tx} f_n(x)\, dx = \int_0^\infty \frac{1}{2^{\frac{n}{2}} \Gamma\left(\frac{n}{2}\right)} x^{\frac{n-2}{2}} e^{-\left(\frac{1}{2}-t\right)x}\, dx.$$

$\left(\frac{1}{2} - t\right) x = \frac{y}{2}$ とおくと,

$$M_{\chi_n^2}(t) = \int_0^\infty \frac{1}{2^{\frac{n}{2}} \Gamma\left(\frac{n}{2}\right)} \left(\frac{y}{1-2t}\right)^{\frac{n-2}{2}} e^{-\frac{y}{2}} \frac{1}{1-2t}\, dy$$
$$= \int_0^\infty \frac{(1-2t)^{-\frac{n}{2}}}{2^{\frac{n}{2}} \Gamma\left(\frac{n}{2}\right)} y^{\frac{n-2}{2}} e^{-\frac{y}{2}}\, dy$$
$$= (1-2t)^{-\frac{n}{2}}.$$

最後の等式は χ^2 分布の確率密度関数 $f_n(x)$ の全積分 =1 であることから得られます. 次に, $\chi^2 = \sum_{i=1}^n Z_i^2$ の積率母関数を計算します. $Z_1, Z_2, \cdots, Z_n$ は独立同一の標準正規分布 $N(0, 1)$ に従うので, 定理 6.4 より

$$M_{\chi^2}(t) = E[e^{t\chi^2}] = E[e^{tZ_1^2} e^{tZ_2^2} \cdots e^{tZ_n^2}] = (E[e^{tZ_1^2}])^n.$$

$t < \frac{1}{2}$ に対して

$$E[e^{tZ_1^2}] = \int_{-\infty}^\infty e^{tz^2} \frac{1}{\sqrt{2\pi}} e^{-\frac{z^2}{2}}\, dz = \int_{-\infty}^\infty \frac{1}{\sqrt{2\pi}} e^{-\frac{y^2}{2}} \frac{1}{\sqrt{1-2t}}\, dy$$
$$= (1-2t)^{-\frac{1}{2}}.$$

2つ目の等式で $\sqrt{1-2t}\, z = y$ と置換積分をし，3つ目の等式で標準正規分布の確率密度関数の全積分=1，すなわち，$\int_{-\infty}^{\infty} \frac{1}{\sqrt{2\pi}} e^{-\frac{y^2}{2}}\, dy = 1$ を使っています．
したがって，
$$M_{\chi^2}(t) = (1-2t)^{-\frac{n}{2}}.$$
これは自由度 n の χ^2 分布の積率母関数に一致します．

定理 8.3 (カイ2乗分布の再生性)

(i) χ_1^2, χ_2^2 が独立でそれぞれ自由度 n_1, n_2 の χ^2 分布に従うとき，$\chi_1^2 + \chi_2^2$ は自由度 $n_1 + n_2$ の χ^2 分布に従う．

(ii) χ_1^2, χ_2^2 を独立な確率変数とし，$\chi_3^2 = \chi_1^2 + \chi_2^2$ とする．χ_1^2, χ_3^2 がそれぞれ $n_1, n_3 (n_1 < n_3)$ の χ^2 分布に従うとすると，χ_2^2 は自由度 $n_3 - n_1$ の χ^2 分布に従う．

証明

(i) 先の定理の証明の中で，自由度 n の χ^2 分布の積率母関数は，$M_{\chi^2}(t) = (1-2t)^{-\frac{n}{2}}, t < \frac{1}{2}$ であることがわかりました．χ_1^2 と χ_2^2 は独立ですから，$e^{t\chi_1^2}$ と $e^{t\chi_2^2}$ は独立です．定理 6.4 を使えば，$\chi_1^2 + \chi_2^2$ の積率母関数は
$$\begin{aligned}
E[e^{t(\chi_1^2 + \chi_2^2)}] &= E[e^{t\chi_1^2}] E[e^{t\chi_2^2}] \\
&= (1-2t)^{-\frac{n_1}{2}} (1-2t)^{-\frac{n_2}{2}} \\
&= (1-2t)^{-\frac{n_1+n_2}{2}}.
\end{aligned}$$
積率母関数は確率分布と1対1に定まる（定理 4.5）ので，最後の式は「$\chi_1^2 + \chi_2^2$ は自由度 $n_1 + n_2$ の χ^2 分布に従うこと」を示しています．

(ii) (i)と積率母関数は確率分布と1対1に定まる（定理 4.5）ことから成り立ちます．

正規母集団からの無作為抽出を考えるとき，次が重要です．

定理 8.4 (カイ 2 乗分布に従う統計量 2) $X_1, X_2, \cdots, X_n$ を正規母集団 $N(\mu, \sigma^2)$ からの無作為標本，$\bar{X}_n$ をその標本平均とする．U^2 を不偏分散，S^2 を標本分散とする．このとき，統計量

$$Z = \sum_{i=1}^n \left(\frac{X_i - \bar{X}_n}{\sigma}\right)^2 = \frac{(n-1)U^2}{\sigma^2} = \frac{nS^2}{\sigma^2}$$

の確率分布は自由度 $n-1$ の χ^2 分布である．

証明 「$X_1, X_2, \cdots, X_n$ を正規母集団 $N(\mu, \sigma^2)$ からの無作為標本，$\bar{X}_n$ をその標本平均とすると，$i = 1, 2, \cdots, n$ に対して $X_i - \bar{X}_n$ と $\bar{X}_n$ は互いに独立である」ことを証明抜きで使います (高松 [9] pp.78-80)．これから $\sum_{i=1}^n (X_i - \bar{X}_n)^2$ と $\bar{X}_n - \mu$ は独立です．定理 8.1 より，$\bar{X}_n - \mu$ は正規分布 $N(0, \sigma^2/n)$ に従いますから

$$T_n = \frac{(\bar{X}_n - \mu)}{\sigma/\sqrt{n}} \text{ は，} N(0,1) \text{ に従います．}$$

よって，定理 8.2 より，

$$T_n^2 = \frac{(\bar{X}_n - \mu)^2}{\sigma^2/n} \text{ は，自由度 1 の} \chi^2 \text{分布に従います．}$$

ここで，

$$n(\bar{X}_n - \mu)^2 + \sum_{i=1}^n (X_i - \bar{X}_n)^2$$

$$= n(\bar{X}_n - \mu)^2 + \sum_{i=1}^n \{(X_i - \mu) - (\bar{X}_n - \mu)\}^2$$

$$= n(\bar{X}_n - \mu)^2 + \sum_{i=1}^n (X_i - \mu)^2 - 2(\bar{X}_n - \mu)\sum_{i=1}^n (X_i - \mu) + n(\bar{X}_n - \mu)^2$$

$$= \sum_{i=1}^n (X_i - \mu)^2$$

両辺を σ^2 で割ると

$$\frac{(\bar{X}_n - \mu)^2}{\sigma^2/n} + \sum_{i=1}^n \left(\frac{X_i - \bar{X}_n}{\sigma}\right)^2 = \sum_{i=1}^n \left(\frac{X_i - \mu}{\sigma}\right)^2$$

定理 8.2 より右辺は自由度 n の χ^2 分布に従い，左辺第 1 項は自由度 1 の χ^2 分

布に従う．よって，定理 8.3 (ii) のカイ 2 乗分布の再生性より，左辺第 2 項は自由度 $n-1$ の χ^2 分布に従うことがわかります．

例題 8.2 (カイ 2 乗分布に従う統計量) $N(3, \sigma^2)$ に従う正規母集団から，10 個の標本 $X_1, \cdots, X_{12}$ を無作為抽出したときの不偏分散 U^2 が 10 であった．$Z = \frac{9 \times 10}{\sigma^2}$ がある値 α 以上になる確率が 0.75 であった．母分散 σ^2 はいくつ以下か？

解答 定理 8.4 より，Z は自由度 9 の χ^2 分布に従います．問題より

$$P(Z \geq \alpha) = 0.75.$$

この α を χ^2 分布表から割り出すと $\alpha = 5.90$ です．したがって，$Z = \frac{90}{\sigma^2} \geq 5.90$．これより，$\sigma^2 \leq \frac{90}{5.90} \approx 15.2542\cdots$．

8.4 F 分布

次は F 分布です．標本分散，標本平均に関する統計量の分布に出現します．

定義 8.3 (F 分布) 確率密度関数が，自然数 n_1, n_2 に対して，

$$f_{n_1, n_2}(x) = \frac{n_1^{\frac{n_1}{2}} n_2^{\frac{n_2}{2}}}{B\left(\frac{n_1}{2}, \frac{n_2}{2}\right)} \frac{x^{\frac{n_1-2}{2}}}{(n_1 x + n_2)^{\frac{n_1+n_2}{2}}}, \ x > 0,$$

$f_{n_1, n_2}(x) = 0, \ x \leq 0$ で与えられる分布を，**自由度 n_1, n_2 の F 分布**という．

複雑な密度関数です．ここで，$B(u, v)$ は**ベータ関数**と呼ばれ，

$$B(u, v) = \int_0^1 x^{u-1}(1-x)^{v-1}\, dx \ (u > 0, v > 0) \tag{8.4}$$

で定義されます．ベータ関数はガンマ関数によって次のように表すことができ，後ほどの定理の証明の中で使います．

$$B(u, v) = \frac{\Gamma(u)\, \Gamma(v)}{\Gamma(u+v)}, \ (u > 0, v > 0). \tag{8.5}$$

自由度 n_1, n_2 の F 分布に対しても，$P(F \geq F_{n_1, n_2}(\alpha)) = \alpha$ となる**上側 α 点** $F_{n_1, n_2}(\alpha)$ を与える数表が作られています．

8.4 F 分布

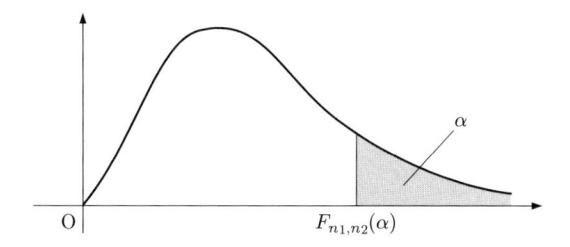

図 **8.2** 自由度 n_1, n_2 の F 分布の上側 α 点

次が F 分布の意味を与えます.

定理 8.5 (F 分布に従う統計量 1) χ_1^2, χ_2^2 がそれぞれ自由度 n_1, n_2 の χ^2 分布に従い,独立であるとき,
$$F = \frac{\chi_1^2/n_1}{\chi_2^2/n_2}$$
は自由度 n_1, n_2 の F 分布に従う.

証明 この証明は読み飛ばしても OK です.「X の確率密度関数を $f(x)$, Y の確率密度関数を $g(y)$ とする. X, Y は互いに独立な確率変数とする. このとき,正の実数 a, b に対して, $Z = aX/bY$ とおくと Z の確率密度関数 $h(z)$ は $h(z) = \int_{-\infty}^{\infty} f\left(\frac{bzy}{a}\right) g(y) \frac{b}{a} y \, dy$」であることを証明抜きで使います (松本・宮原 [17] p.125 に証明があり, F 分布, t 分布に関連する変数変換は高松 [9] 5 章に詳説があります).

F の確率密度関数を $h(x)$ とする. $x < 0$ のとき $h(x) = 0$ ですので, $x \geq 0$ で考えます. $a = n_1, b = n_2$ とすると,

$$h(x) = \int_0^{\infty} \frac{1}{2^{\frac{n_2}{2}} \Gamma\left(\frac{n_2}{2}\right)} \left(\frac{n_2 xy}{n_1}\right)^{\frac{n_2-2}{2}} e^{-\frac{n_2 xy}{2n_1}} \frac{1}{2^{\frac{n_1}{2}} \Gamma\left(\frac{n_1}{2}\right)} y^{\frac{n_1-2}{2}} e^{-\frac{y}{2}} \frac{n_2}{n_1} y \, dy$$

$$= \frac{x^{\frac{n_2}{2}-1} \left(\frac{n_2}{n_1}\right)^{\frac{n_2}{2}}}{2^{\frac{n_1+n_2}{2}} \Gamma\left(\frac{n_1}{2}\right) \Gamma\left(\frac{n_2}{2}\right)} \int_0^{\infty} y^{\frac{n_1+n_2}{2}-1} e^{-\frac{(n_2 x + n_1) y}{2n_1}} \, dy$$

$z = (n_2 x + n_1)y/(2n_1)$ として置換積分すれば

$$h(x) = \frac{n_1^{\frac{n_1}{2}} n_2^{\frac{n_2}{2}}}{\Gamma\left(\frac{n_1}{2}\right)\Gamma\left(\frac{n_2}{2}\right)} \frac{x^{\frac{n_2-2}{2}}}{(n_2 x + n_1)^{\frac{n_1+n_2}{2}}} \int_0^\infty z^{\frac{n_1+n_2}{2}-1} e^{-z}\, dz$$

$$= \frac{\Gamma\left(\frac{n_1+n_2}{2}\right) n_1^{\frac{n_1}{2}} n_2^{\frac{n_2}{2}}}{\Gamma\left(\frac{n_1}{2}\right)\Gamma\left(\frac{n_2}{2}\right)} \frac{x^{\frac{n_2-2}{2}}}{(n_1 x + n_2)^{\frac{n_1+n_2}{2}}}$$

ここで，$u > 0$, $v > 0$ に対して，(8.5) を使うと

$$h(x) = \frac{n_1^{\frac{n_1}{2}} n_2^{\frac{n_2}{2}}}{B\left(\frac{n_1}{2}, \frac{n_2}{2}\right)} \frac{x^{\frac{n_2-2}{2}}}{(n_2 x + n_1)^{\frac{n_1+n_2}{2}}}.$$

$h(x)$ は自由度 n_1, n_2 の F 分布の確率密度関数になります．

正規母集団からの無作為抽出のときに，F 分布が現れる統計量が次です．

定理 8.6 (F 分布に従う統計量 2)　$X_1, X_2, \cdots, X_{n_1}$ を正規母集団 $N(\mu_1, \sigma_1^2)$ からの大きさ n_1 の無作為標本，$Y_1, Y_2, \cdots, Y_{n_2}$ を正規母集団 $N(\mu_2, \sigma_2^2)$ からの大きさ n_2 の無作為標本とし，それぞれの不偏分散を U_X^2, U_Y^2，標本分散を S_X^2, S_Y^2 とすると，

$$F = \frac{U_X^2/\sigma_1^2}{U_Y^2/\sigma_2^2} = \frac{n_1 S_X^2/(n_1-1)}{n_2 S_Y^2/(n_2-1)}$$

は自由度 $n_1 - 1, n_2 - 1$ の F 分布に従う．

証明　定理 8.4 より，$\frac{(n_1-1)U_X^2}{\sigma_1^2}, \frac{(n_2-1)U_Y^2}{\sigma_2^2}$ はそれぞれ自由度 n_1-1, n_2-1 の χ^2 に従います．また，別の母集団からの無作為標本なので U_X と U_Y は互いに独立です．したがって，定理 8.5 より F は自由度 $n_1 - 1, n_2 - 1$ の F 分布に従います．

例題 8.3 (F 分布に従う統計量)　正規母集団 $N(\mu_1, 5^2)$ から 6 個を無作為抽出したら不偏分散は 10 であり，別の正規母集団 $N(\mu_2, 6^2)$ から 7 個を無作為抽出したら不偏分散は 12 であった．このような結果が生じる確率は 5% より小さいか？

解答 $F = \frac{10/25}{12/36} = 1.2$. 定理 8.6 より，$F$ は自由度 5,6 の F 分布に従います．F 分布表を読むと，$F_{5,6}(0.05) = 4.39$ です．これより 1.2 は小さいので，確率 5% より小さいとはいえません．

上の定理において，$X_1, X_2, \cdots, X_{n_1}, Y_1, Y_2, \cdots, Y_{n_2}$ が，分散が同じ正規母集団 $N(\mu_1, \sigma^2), N(\mu_2, \sigma^2)$ からの無作為標本であれば，

$$F = \frac{U_X^2}{U_Y^2} = \frac{\frac{1}{n_1-1}\sum_{k=1}^{n_1}(X_k - \bar{X}_{n_1})^2}{\frac{1}{n_2-1}\sum_{j=1}^{n_2}(Y_j - \bar{Y}_{n_2})^2}$$

は自由度 $n_1 - 1, n_2 - 1$ の F 分布に従うことがわかります．

8.5 t 分布

第 8 章の最後は t 分布です．

定義 8.4 (t 分布) 確率密度関数が $n = 1, 2, \cdots$ に対して，

$$f_n(t) = \frac{\Gamma\left(\frac{n+1}{2}\right)}{\sqrt{n\pi}\,\Gamma\left(\frac{n}{2}\right)} \left(1 + \frac{t^2}{n}\right)^{-\frac{n+1}{2}}, \quad -\infty < t < \infty \tag{8.6}$$

である連続分布を**自由度 n の t 分布**という．

自由度 n の t 分布に対して

$$\mathrm{P}(t \geq t_n(\alpha)) = \alpha$$

となる $t_n(\alpha)$ を**上側 α 点**といい，これを与える数表が作られています．

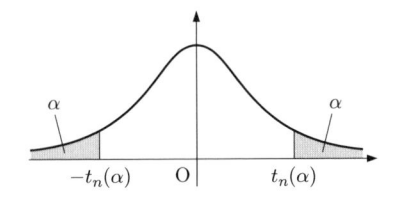

図 8.3 自由度 n の t 分布の上側 α 点

t 分布の確率密度関数 $f_n(x)$ のグラフは y 軸に関して対称です．したがって，$\mathrm{P}(|t| > t) = \alpha$ を与える**両側 α 点** t は $t_n\left(\frac{\alpha}{2}\right)$ となります．

定理 8.7 (t 分布に従う統計量 1) X は標準正規分布 $N(0,1)$ に，Y は自由度 n の χ^2 分布に従う互いに独立な確率変数とするとき，
$$t = \frac{X}{\sqrt{Y/n}}$$
は自由度 n の t 分布に従う．

証明 まず，自由度 n の χ^2 分布 Y の密度関数 $f_n(x)$ を使い，$\sqrt{Y}$ の密度関数 $g(y)$ を求めます．$\sqrt{Y}$ の分布関数は $\mathrm{P}(0 \leq \sqrt{Y} \leq y) = \int_0^y g(t)\,dt$ です．一方，$\mathrm{P}(0 \leq \sqrt{Y} \leq y) = \mathrm{P}(0 \leq Y \leq y^2) = \int_0^{y^2} f_n(t)\,dt$．したがって，
$$\int_0^y g(t)\,dt = \int_0^{y^2} f_n(t)\,dt.$$
この $\sqrt{Y}$ の分布関数を微分すると密度関数ですから，上式の両辺を y で微分すると，
$$g(y) = 2y f_n(y^2) = \frac{2y}{2^{\frac{n}{2}} \Gamma\left(\frac{n}{2}\right)} y^{n-2} e^{-\frac{y^2}{2}} = \frac{2}{2^{\frac{n}{2}} \Gamma\left(\frac{n}{2}\right)} y^{n-1} e^{-\frac{y^2}{2}}.$$

定理 8.5 の証明で使った「X の確率密度関数を $f(x)$，Y の確率密度関数を $g(y)$ とする．X, Y は互いに独立な確率変数とする．このとき，正の実数 a, b に対して，$Z = aX/bY$ とおくと Z の確率密度関数 $h(z)$ は $h(z) = \int_{-\infty}^{\infty} f\left(\frac{bzy}{a}\right) g(y) \frac{b}{a} y\,dy$」を再び使います．$t = \frac{X}{\sqrt{Y/n}}$ の確率密度関数を $h(x)$ とすれば，
$$h(x) = \int_0^{\infty} \frac{1}{\sqrt{2\pi}} e^{-\frac{\left(\frac{xy}{\sqrt{n}}\right)^2}{2}} \frac{2}{2^{\frac{n}{2}} \Gamma\left(\frac{n}{2}\right)} y^{n-1} e^{-\frac{y^2}{2}} \frac{y}{\sqrt{n}}\,dy$$
$$= \frac{2}{2^{\frac{n}{2}} \Gamma\left(\frac{n}{2}\right) \sqrt{2\pi n}} \int_0^{\infty} e^{-\frac{(x^2+n)y^2}{2n}} y^n\,dy.$$
$z = \frac{(x^2+n)y^2}{2n}$ と置き換えれば，
$$h(x) = \frac{1}{\Gamma\left(\frac{n}{2}\right) \sqrt{n\pi} \left(1 + \frac{x^2}{n}\right)^{\frac{n+1}{2}}} \int_0^{\infty} e^{-z} z^{\frac{n-1}{2}}\,dz$$
$$= \frac{\Gamma\left(\frac{n+1}{2}\right)}{\sqrt{n\pi}\,\Gamma\left(\frac{n}{2}\right)} \left(1 + \frac{x^2}{n}\right)^{-\frac{n+1}{2}}.$$
これは，自由度 n の t 分布の確率密度関数です．

t 分布は母分散が未知のときの母平均に対する推定，検定で活用されます．

> **定理 8.8** (t 分布に従う統計量 2) $X_1, X_2, \cdots, X_n$ を正規母集団 $N(\mu, \sigma^2)$ からの無作為標本，標本平均を $\bar{X}_n$，不偏分散を U^2 とするとき，
> $$t = \frac{\bar{X}_n - \mu}{\sqrt{U^2/n}}$$
> は自由度 $n-1$ の t 分布に従う．

証明
$$T_n = \frac{\bar{X}_n - \mu}{\sqrt{\sigma^2/n}}, \ U_n^2 = \frac{(n-1)U^2}{\sigma^2}$$
とおくと，
$$t = \frac{T_n}{\sqrt{U_n^2/n}}$$
です．さらに定理 8.1 より T_n は標準正規分布 $N(0,1)$ に従い，定理 8.4 より U_n^2 は自由度 $n-1$ の χ^2 分布に従います．また，T_n と U_n^2 は，独立な確率変数となります（証明は略します）．したがって，定理 8.7 から，t は自由度 $n-1$ の t 分布に従うことがわかります． ∎

次が t 分布と F 分布の関係を表します．

> **定理 8.9** (t 分布と F 分布の関係) 定理 8.7 の t に対して，すなわち，X は標準正規分布 $N(0,1)$ に，Y は自由度 n の χ^2 分布に従う独立な確率変数とするとき，
> $$t^2 = \frac{X^2}{Y/n}$$
> は自由度 $1, n$ の F 分布に従う．

証明 定理 8.2 より X^2 は自由度 1 の χ^2 分布に従います．よって，定理 8.5 より t^2 が自由度 $1, n$ の F 分布に従います． ∎

本章の最後に**正規母集団からの無作為抽出により作られる統計量の分布**をまとめておきます．

- $X_1, X_2, \cdots, X_{n_1}$ を $N(\mu_1, \sigma_1^2)$ からの無作為標本とし，$\bar{X}_{n_1}$ を標本平均，U_X^2 を不偏分散，S_X^2 を標本分散とします．

- $Y_1, Y_2, \cdots, Y_{n_2}$ を $N(\mu_2, \sigma_2^2)$ からの無作為標本とし,$\bar{Y}_{n_2}$ を標本平均,U_Y^2 を不偏分散,S_Y^2 を標本分散とします.

定理	統計量	統計量の従う分布
定理 8.1	$\bar{X}_{n_1}$	正規分布 $N(\mu_1, \sigma_1^2/n_1)$
定理 8.4	$Z = \sum_{i=1}^{n_1} \left(\frac{X_i - \bar{X}_{n_1}}{\sigma_1}\right)^2$ $= \frac{(n_1-1)U_X^2}{\sigma_1^2}$	自由度 $n_1 - 1$ の χ^2 分布
定理 8.6	$F = \frac{U_X^2/\sigma_1^2}{U_Y^2/\sigma_2^2}$	自由度 $n_1 - 1, n_2 - 1$ の F 分布
定理 8.8	$t = \frac{\bar{X}_{n_1} - \mu_1}{\sqrt{U_X^2/n_1}}$	自由度 $n_1 - 1$ の t 分布

不偏分散と標本分散の関係式:$nS_X^2 = (n-1)U_X^2$ を用いて,表の統計量を標本分散 S_X^2 で表している教科書もあります.

──────── 8 章の演習問題 ────────

8.1 (正規分布) X が正規分布 $N(\mu, \sigma^2)$ に従うとき,実数 a, b に対して,$Y = aX + b$ は $N(a\mu + b, a^2\sigma^2)$ に従うことを示せ.

8.2 (正規母集団) $X_1, X_2, \cdots, X_5$ を正規母集団 $N(0, 1)$ からの無作為標本とする.標本平均の平均 $E[\bar{X}_5]$ と分散 $V[\bar{X}_5]$ を求めよ.

8.3 (χ^2 分布) 積率母関数を使い,自由度 n の χ^2 分布の平均が n,分散が $2n$ であることを示せ.

8.4 (変数変換) 確率密度関数が $f(x)$ である連続型確率変数 X に対して,$Z = X^2$ の確率密度関数 $g(x)$ を求めよ.

8.5 (t 分布) 自由度 1 の t 分布の確率密度関数 $f_1(t)$ に対して,$\int_{-\infty}^{\infty} f_1(t)\,dt = 1$ を確認せよ.

9 点推定

「母平均 μ は 4 と推定する」というように，母集団のパラメータをピンポイントで推定することを**点推定**といいます．一方，「"$3.4 \leq \mu \leq 4.6$" である確率は 0.95 である」というように，区間の幅をもって母集団のパラメータを推定することを**区間推定**といいます．点推定をするときには，どういう推定量を採用するのがよいのか？ またよい推定量とは何なのか？ がテーマになります．

9.1 不偏推定量

母集団からの大きさ n の無作為標本を確率変数 $X_1, X_2, \cdots, X_n$ とし，標本から作られる統計量を $T(X_1, X_2, \cdots, X_n)$ とします．たとえば，標本平均 $\bar{X}_n = \frac{1}{n}\sum_{i=1}^{n} X_i$ は統計量です．母平均 μ や母分散 σ^2 をパラメータ θ で表すとしましょう．θ の推定値として要請されるのは，標本から作られた統計量の期待値 $E[T]$ が θ になることが自然なことでしょう．これを不偏推定量といいます．

> **定義 9.1 (不偏推定量)** 母集団のパラメータ θ に対して統計量 $T = T(X_1, X_2, \cdots, X_n)$ の確率分布の平均が θ，すなわち，
> $$E[T] = \theta$$
> となるとき，T をパラメータ θ に対する**不偏推定量**という．

例 9.1 (母平均の不偏推定量) 補題 7.1 から，標本平均 $\bar{X}_n$ は，$E[\bar{X}_n] = \mu$ でした．よって，標本平均が母平均 μ に対する不偏推定量です．

例 9.2 (母分散の不偏推定量) 実は，母平均 μ，母分散 σ^2 の母集団からの無作為標本から作られる標本分散 S^2 は母分散 σ^2 の不偏推定量ではありません．$E[S^2]$ を計算してみましょう．

$$E[S^2] = E\left[\frac{1}{n}\sum_{i=1}^{n}(X_i - \bar{X}_n)^2\right]$$

$$= \frac{1}{n}E\left[\sum_{i=1}^{n}(X_i^2 - 2X_i\bar{X}_n + \bar{X}_n^2)\right]$$

$$= \frac{1}{n}E\left[\sum_{i=1}^{n}X_i^2 - 2\sum_{i=1}^{n}X_i\bar{X}_n + \sum_{i=1}^{n}\bar{X}_n^2\right].$$

定理 6.5 の期待値の線形性より

$$E[S^2] = \frac{1}{n}E\left[\sum_{i=1}^{n}X_i^2\right] - 2E\left[\frac{1}{n}\sum_{i=1}^{n}X_i\bar{X}_n\right] + \frac{1}{n}E\left[\sum_{i=1}^{n}\bar{X}_n^2\right].$$

$\frac{1}{n}\sum_{i=1}^{n}X_i = \bar{X}_n$ と $\sum_{i=1}^{n}\bar{X}_n^2 = n\bar{X}_n^2$ から

$$E[S^2] = \frac{1}{n}\sum_{i=1}^{n}E[X_i^2] - 2E\left[\bar{X}_n^2\right] + E\left[\bar{X}_n^2\right]$$

$$= \frac{1}{n}\sum_{i=1}^{n}E[X_i^2] - E\left[\bar{X}_n^2\right].$$

$X_i, i = 1, 2, \cdots, n$ は母平均 μ，母分散 σ^2 に従う独立確率変数ですから，$V[X_i] = \sigma^2 = E[X_i^2] - \mu^2$．よって，$E[X_i^2] = \sigma^2 + \mu^2$．また，定理 8.1 より，$V[\bar{X}_n] = \frac{\sigma^2}{n} = E[\bar{X}_n^2] - \mu^2$ なので，$E[\bar{X}_n^2] = \frac{\sigma^2}{n} + \mu^2$．これらを上の式に代入して計算すると，

$$E[S^2] = \frac{1}{n}\sum_{i=1}^{n}(\sigma^2 + \mu^2) - \frac{\sigma^2}{n} - \mu^2$$

$$= \sigma^2 + \mu^2 - \frac{\sigma^2}{n} - \mu^2 = \frac{n-1}{n}\sigma^2.$$

したがって，標本分散は母分散の不偏推定量ではありません．母分散の推

定量としては標本分散はふさわしくないという結果です．しかし，
$$U^2 = \frac{1}{n-1}\sum_{i=1}^{n}(X_i - \bar{X}_n)^2$$
とすれば，
$$E[U^2] = E\left[\frac{1}{n-1}\sum_{i=1}^{n}(X_i - \bar{X}_n)^2\right] = \frac{n}{n-1}E[S^2] = \sigma^2$$
となります．したがって，U^2 は母分散に対する不偏推定量です．この理由により U^2 を**不偏分散**と呼びます．

9.2　有効推定量，一致推定量

不偏推定量は一般に多くあります．例で見てみましょう．

例 9.3 (たくさんの不偏推定量の存在)　母平均 μ，母分散 σ^2 の母集団から大きさ 3 の無作為標本を X_1, X_2, X_3 としたとき，統計量 $T_1 = X_1 + X_2 - X_3$，$T_2 = \frac{X_1+X_2+X_3}{3}$（標本平均）は，次のようにどちらも μ の不偏推定量です．期待値の線形性（定理 6.5）を使えば，

$$E[T_1] = E[X_1] + E[X_2] - E[X_3] = \mu + \mu - \mu = \mu,$$
$$E[T_2] = \frac{1}{3}(E[X_1] + E[X_2] + E[X_3]) = \frac{1}{3}(\mu + \mu + \mu) = \mu.$$

では，たくさん存在する不偏推定量の中でどれを選ぶのがよいのでしょうか？　その基準の 1 つとして統計量の分散が小さいほうがよいと考えるのは自然です．このように分散がより小さい推定量を**有効推定量**と呼びます．

例 9.4 (有効推定量)　例 9.3 の T_1, T_2 の分散を計算してみましょう．X_1, X_2, X_3 は無作為標本ですから互いに独立です．したがって，独立確率変数に対す

る分散の線形性（定理 6.5）より

$$V[T_1] = V[X_1] + V[X_2] + V[X_3] = 2\sigma^2 + \sigma^2 = 3\sigma^2,$$

$$V[T_2] = V\left[\frac{X_1 + X_2 + X_3}{3}\right] = \frac{1}{3^2}3\sigma^2 = \frac{\sigma^2}{3}.$$

$V[T_1] > V[T_2]$ ですから，T_2 のほうがより有効です．

この考え方を押し進めて，パラメータ θ に対する不偏推定量の中で，その分散が最小になる統計量を，パラメータ θ に対する**一様最小分散不変推定量**と呼びます．この解説には，クラメール・ラオの不等式を示さなければなりません．この不等式を使うと，不偏推定量の分散の下限をフィッシャー情報量によって求めることができます，というように，よりアドバンスな内容になりますので，解説はよりアドバンスなテキストに譲ります（たとえば，稲垣 [1]）．なお，正規母集団からの無作為標本から母平均，母分散を推定するときには，ありがたいことに標本平均，不偏分散がそれぞれの一様最小分散不変推定量であることがわかっています．

もう 1 つの基準として一致推定量というのがあります．

定義 9.2 パラメータ θ に対する推定量 $T(X_1, \cdots, X_n)$ が，すべての $\varepsilon > 0$ に対して

$$\lim_{n\to\infty} \mathrm{P}(|T(X_1, \cdots, X_n) - \theta| \geq \varepsilon) = 0$$

となるとき，T を θ に対する**一致推定量**という．

大数の法則（定理 7.2）から，標本平均 $\bar{X}_n$ は母平均の一致推定量であることがわかります．正規母集団からの無作為抽出による母平均の推定量として，標本平均は普遍性，有効性，一致性をみたすとてもよい推定量であることがわかります．

9.3 最尤推定量

母集団の分布がわかっているときには**最尤（さいゆう）法**という推定法を使った最尤推定量があります．

母集団分布の確率密度関数がパラメータ θ をもつときには，そのことを強調して $f(x|\theta)$ と書くとします．たとえば，正規分布の確率密度関数を $f(x|\mu, \sigma^2)$ と，パラメータ μ, σ^2 を明示して書きます．大きさ n の標本の n 次元確率分布の確率密度関数 $L(x_1, \cdots, x_n|\theta)$ を**尤度関数**と呼びます．

> **定義 9.3** 尤度関数に標本の結果 $x_1, \cdots, x_n$ を代入した $L(x_1, \cdots, x_n|\theta)$ を θ の関数 $L(\theta)$ と考えて，この値を最大にする $\theta = \hat{\theta}(x_1, \cdots, x_n)$ が存在するとき，$\hat{\theta}(X_1, \cdots, X_n)$ をパラメーター θ に対する**最尤推定量**という．

離散型確率分布では $L(\theta) = L(x_1, \cdots, x_n|\theta) = \mathrm{P}(X_1 = x_1, \cdots, X_n = x_n)$ であり，言い換えるとサンプリングした実現値が $x_1, \cdots, x_n$ となる確率です．この実現値 $x_1, \cdots, x_n$ が最も起こりやすい θ を最ももっともらしい推定量としようと考えます．最尤推定量に，具体的な値をもつ標本データ $x_1, \cdots, x_n$ を代入した値を θ の**最尤推定値**といいます．

$X_1, \cdots, X_n$ が無作為標本であるときには，$X_1, \cdots, X_n$ は独立なので

$$L(\theta) = L(x_1, \cdots, x_n|\theta) = f(x_1|\theta)f(x_2|\theta)\cdots f(x_n|\theta) = \prod_{i=1}^{n} f(x_i|\theta)$$

であり，$X_1, \cdots X_n$ が離散型の無作為標本の場合は，確率質量関数を $p(x_i|\theta) = \mathrm{P}(X = x_i)$ とすると，

$$L(\theta) = L(x_1, \cdots, x_n|\theta) = p(x_1|\theta)\, p(x_2|\theta) \cdots p(x_n|\theta) = \prod_{i=1}^{n} p(x_i|\theta)$$

です．L, f は正であるので，最尤推定量を求めるためには，両辺に自然対数をとって，連続の場合には，

$$\log L(\theta) = \log L(X_1, \cdots, X_n|\theta) = \sum_{i=1}^{n} \log f(X_i|\theta)$$

を，離散の場合には，$\log L(\theta) = \sum_{i=1}^{n} \log p(X_i|\theta)$ を最大にする θ を求める方が計算が簡単になる場合が多くあります．求め方の例題を見てみましょう．

例題 9.1 (ポアソン分布からの無作為標本の最尤推定量) $X_1,\cdots,X_n$ をパラメータ λ のポアソン分布からの無作為標本とするとき，λ の最尤推定量は？

解答 ポアソン分布の確率質量関数は
$$P(X=x) = e^{-\lambda}\frac{\lambda^x}{x!},\ x=0,1,2,\cdots.$$
尤度関数は
$$L(\lambda) = e^{-\lambda}\frac{\lambda^{x_1}}{x_1!} \times e^{-\lambda}\frac{\lambda^{x_2}}{x_2!} \times \cdots \times e^{-\lambda}\frac{\lambda^{x_n}}{x_n!}$$
$$= e^{-n\lambda}\frac{\lambda^{x_1+x_2+\cdots+x_n}}{x_1!x_2!\cdots x_n!}$$
両辺に自然対数[1]をとると
$$\log L(\lambda) = \log\left(e^{-n\lambda}\frac{\lambda^{x_1+x_2+\cdots+x_n}}{x_1!x_2!\cdots x_n!}\right)$$
$$= \log e^{-n\lambda} + \log \lambda^{x_1+x_2+\cdots+x_n} - \log(x_1!x_2!\cdots x_n!)$$
$$= -n\lambda + \left(\sum_{i=1}^n x_i\right)\log\lambda - \sum_{i=1}^n \log x_i!.$$
これを最大にする λ （これを $\hat{\lambda}$ とします）を求めればよいから，
$$\frac{d}{d\lambda}\log L(\lambda) = -n + \frac{1}{\lambda}\sum_{i=1}^n x_i = 0$$
より，$\hat{\lambda} = \frac{1}{n}\sum_{i=1}^n x_i$. したがって，$\lambda$ の最尤推定量は
$$\hat{\lambda}(X_1,\cdots,X_n) = \frac{1}{n}\sum_{i=1}^n X_i = \bar{X}_n.$$

λ はポアソン分布の平均であり分散でしたから，標本平均がポアソン分布の平均かつ分散の最尤推定量になります．

2個以上のパラメータをもつ確率密度関数 $f(x|\theta_1,\cdots,\theta_m)$ をもつ母集団分

---

[1] 対数の計算: (1) $\log e^x = x$, (2) $\log(AB) = \log A + \log B$, (3) $\log(A/B) = \log A - \log B$, (4) $(\log f(x))' = f'(x)/f(x)$.

布からの無作為標本 $X_1, \cdots, X_n$ に対する尤度関数は

$$L(\theta_1, \cdots, \theta_m) = \prod_{i=1}^{n} f(x_i | \theta_1, \cdots, \theta_n)$$

であり，$L(\theta_1, \cdots, \theta_m)$ の値を最大にする $\theta_1, \cdots, \theta_n$ を $\hat{\theta}_1(x_1, \cdots, x_n), \cdots,$ $\hat{\theta}_n(x_1, \cdots, x_n)$ とするとき，これを最尤推定値，実現値 x_i に代えて確率変数 X_i にした $\hat{\theta}_1(X_1, \cdots, X_n), \cdots, \hat{\theta}_n(X_1, \cdots, X_n)$ を最尤推定量といいます．

正規母集団からの無作為標本の最尤推定量は次が成り立ちます．

定理 9.1 (正規母集団からの無作為標本の最尤推定量) $X_1, \cdots, X_n$ を正規母集団 $N(\mu, \sigma^2)$ からの無作為標本とする．標本平均 $\bar{X}_n$，標本分散 S^2 はそれぞれ母平均 μ，母分散 σ^2 に対する最尤推定量である．

証明 正規分布の確率密度関数は

$$f(x|\mu, \sigma^2) = \frac{1}{\sqrt{2\pi\sigma^2}} e^{-\frac{(x-\mu)^2}{2\sigma^2}}.$$

よって尤度関数は

$$L(\mu, \sigma^2) = \prod_{i=1}^{n} \frac{1}{\sqrt{2\pi\sigma^2}} e^{-\frac{(x_i-\mu)^2}{2\sigma^2}} = \prod_{i=1}^{n} (2\pi\sigma^2)^{-\frac{1}{2}} e^{-\frac{(x_i-\mu)^2}{2\sigma^2}}.$$

両辺に自然対数をとると

$$\log L(\mu, \sigma^2) = \log \left(\prod_{i=1}^{n} (2\pi\sigma^2)^{-\frac{1}{2}} e^{-\frac{(x_i-\mu)^2}{2\sigma^2}} \right)$$

$$= -\frac{n}{2} \log(2\pi\sigma^2) - \sum_{i=1}^{n} \frac{(x_i-\mu)^2}{2\sigma^2}.$$

これを最大にする μ, σ^2（これらを $\hat{\mu}, \hat{\sigma}^2$ とします）を求める．極大になるための条件として[2]

$$\frac{\partial}{\partial \mu} \log L(\mu, \sigma^2) = \frac{1}{\sigma^2} \sum_{i=1}^{n} (x_i - \mu) = 0,$$

---

[2] 偏微分：$\frac{\partial}{\partial \mu} \log L(\mu, \sigma^2)$ は関数 $\log L(\mu, \sigma^2)$ を μ で偏微分するという記号です．たとえば，$\frac{\partial}{\partial x_1} f(x_1, \cdots, x_n)$ は関数 $f(x_1, \cdots, x_n)$ を x_1 以外の変数をすべて定数とみなして，x_1 で微分することを意味します．

$$\frac{\partial}{\partial \sigma^2} \log L(\mu, \sigma^2) = -\frac{n}{2\sigma^2} + \frac{1}{2\sigma^4} \sum_{i=1}^{n}(x_i - \mu)^2 = 0.$$

この連立方程式を解くと

$$\hat{\mu} = \frac{1}{n}\sum_{i=1}^{n} x_i = \bar{x}_n, \quad \hat{\sigma}^2 = \frac{1}{n}\sum_{i=1}^{n}(x_i - \bar{x}_n)^2 = s^2.$$

なお，$\bar{x}_n$ は標本平均 $\bar{X}_n$ の実現値，s^2 は標本分散 S^2 の実現値です．したがって，μ, σ^2 に対する最尤推定量 $\hat{\mu}, \hat{\sigma}^2$ は，それぞれ標本平均 $\bar{X}_n$，標本分散 S^2 であることがわかります．

―――――――――― 9 章の演習問題 ――――――――――

9.1 (不偏推定量) 母平均 μ，母分散 σ^2 をもつ母集団から，次の 10 個の無作為標本を得た．母平均と母分散の不偏推定量を求めよ．

$$1, 5, 13, 8, 3, 9, 2, 10, 5, 4$$

9.2 (有効推定量) 母平均 μ，母分散 σ^2 の母集団から無作為抽出した 2 個の標本 X_1, X_2 に対して，$\alpha X_1 + \beta X_2$ が不偏推定量であり，かつ分散が最小である有効推定量となるような α, β を求めよ．

9.3 (最尤推定値) 確率密度関数が

$$f(x|\lambda) = \begin{cases} \lambda e^{-\lambda x}, & x \geq 0, \\ 0, & x < 0, \end{cases}$$

である指数分布からの 5 個の無作為標本，4.3, 5.5, 1.8, 7.8, 12.4 が与えられたとき，λ の最尤推定値を求めよ．

10 区間推定

第8章の標本分布の諸定理を背景として，正規母集団 $N(\mu,\sigma^2)$ における母平均，母比率，母分散，母平均の差の区間推定方法を学びます．たとえば，母平均 μ を「"$-2.4 \leq \mu \leq 2.4$" である確率は 0.95 である」というように区間の幅をもって推定する方法です．

10.1 正規母集団の母平均の区間推定

10.1.1 母分散が既知

$X_1,\cdots,X_n$ を正規母集団 $N(\mu,\sigma^2)$ からの無作為標本，すなわち，互いに独立であり，すべて同じ正規分布 $N(\mu,\sigma^2)$ に従うとします．この正規母集団については過去にデータが蓄積されていて分散が既知であるとします．実際に標本調査をして得られた標本を $x_1,\cdots,x_n$ とします．このとき定理 8.1 より，標本平均 $\bar{X}_n$ は正規分布 $N(\mu,\sigma^2/n)$ に従います．したがって，正規化した

$$Z_n = \frac{\bar{X}_n - \mu}{\sqrt{\sigma^2/n}}$$

は標準正規分布 $N(0,1)$ に従います[1]．ここで，標準正規分布の上側 $\frac{\alpha}{2}$ 点 $z\left(\frac{\alpha}{2}\right)$ に対して

$$P\left(Z_n \geq z\left(\frac{\alpha}{2}\right)\right) = \frac{\alpha}{2}$$

---

[1] 標本数 n が十分大きいときには，中心極限定理より母集団分布が何であっても，Z_n は $N(0,1)$ に従います．標本数が十分に大きい場合を**大標本**と呼びます．いくつ以上が大標本か？ については数学的根拠に基づいてのスタンダードはありません．もとより標本数が多ければ多いほどよいわけです．本書では，およそ $n \geq 30$ としています．$n \geq 100$ のテキストもあります．

が成り立ちます．これより，$\mathrm{P}\left(-z\left(\frac{\alpha}{2}\right) < Z_n < z\left(\frac{\alpha}{2}\right)\right) = 1 - \alpha$ ですから，
$$\mathrm{P}\left(-z\left(\frac{\alpha}{2}\right) < \frac{\bar{X}_n - \mu}{\sqrt{\sigma^2/n}} < z\left(\frac{\alpha}{2}\right)\right) = 1 - \alpha.$$
これを書き換えると
$$\mathrm{P}\left(\bar{X}_n - z\left(\frac{\alpha}{2}\right)\frac{\sigma}{\sqrt{n}} < \mu < \bar{X}_n + z\left(\frac{\alpha}{2}\right)\frac{\sigma}{\sqrt{n}}\right) = 1 - \alpha.$$
$\bar{X}_n$ に標本調査から得られたデータ $x_1, \cdots, x_n$ を代入して，$\bar{x}_n$ と書き直すと
$$\mathrm{P}\left(\bar{x}_n - z\left(\frac{\alpha}{2}\right)\frac{\sigma}{\sqrt{n}} < \mu < \bar{x}_n + z\left(\frac{\alpha}{2}\right)\frac{\sigma}{\sqrt{n}}\right) = 1 - \alpha$$
を得ます．この式は，母平均 μ が区間 $\left(\bar{x}_n - z\left(\frac{\alpha}{2}\right)\frac{\sigma}{\sqrt{n}}, \bar{x}_n + z\left(\frac{\alpha}{2}\right)\frac{\sigma}{\sqrt{n}}\right)$ にある確率が $1 - \alpha$ であることを意味しています．この区間を $100(1-\alpha)\%$ の**信頼区間**，$1-\alpha$ を**信頼度**と呼んでいます．信頼度は習慣的（確かな根拠がなくという意味を含めて）に $90\%, 95\%, 99\%$ がとられます．信頼度が高ければ高いほど，$z\left(\frac{\alpha}{2}\right)$ は大きくなるので信頼区間の幅は広くなります．よく使う α，信頼度と $z\left(\frac{\alpha}{2}\right)$ をまとめておきます．これらは標準正規分布表から求められます．

α	信頼度	$z\left(\frac{\alpha}{2}\right)$
0.1	90%	1.645
0.05	95%	1.96
0.01	99%	2.576

以上をまとめます．

正規母集団の母平均の区間推定（母分散既知） 正規母集団 $N(\mu, \sigma^2)$ からの無作為標本 $x_1, \cdots, x_n$ の標本平均を $\bar{x}_n$ とすると，母平均の信頼度 $100(1-\alpha)\%$ の信頼区間は
$$\bar{x}_n - z\left(\frac{\alpha}{2}\right)\frac{\sigma}{\sqrt{n}} < \mu < \bar{x}_n + z\left(\frac{\alpha}{2}\right)\frac{\sigma}{\sqrt{n}}.$$

例題 10.1（正規母集団の母平均の区間推定（母分散既知）） 正規母集団 $N(\mu, 0.2^2)$ からの無作為標本が，10.5 11.3, 9.9, 10.7 であった．母平均 μ の信頼度95%の信頼区間は？

解答 問題より，$n = 4$, $\sigma = 0.2$, $\alpha = 0.05$, $z\left(\frac{0.05}{2}\right) = 1.96$ です．実現値の標本平均は $\bar{x}_4 = (10.5 + 11.3 + 9.9 + 10.7)/4 = 10.6$. これより，
$$10.6 - 1.96 \times \frac{0.2}{\sqrt{4}} < \mu < 10.6 - 1.96 \times \frac{0.2}{\sqrt{4}}.$$
したがって，信頼度95%の信頼区間は，$10.404 < \mu < 10.796$.

10.1.2 母分散未知

正規母集団の母分散 σ^2 が未知のとき，母平均の区間推定はどうなるでしょうか？ 母分散が既知のときと同様に，$X_1, \cdots, X_n$ を正規母集団 $N(\mu, \sigma^2)$ からの無作為標本とします．不偏分散を U^2 とします．このとき，定理8.8より
$$t = \frac{\bar{X}_n - \mu}{\sqrt{U^2/n}}$$
は自由度 $n-1$ の t 分布に従います．$\alpha > 0$ に対して
$$\mathrm{P}\left(t \geq t_{n-1}\left(\frac{\alpha}{2}\right)\right) = \frac{\alpha}{2}$$
となる上側 $\frac{\alpha}{2}$ 点である $t_{n-1}\left(\frac{\alpha}{2}\right)$ を t 分布表から探します．このとき，
$$\mathrm{P}\left(-t_{n-1}\left(\frac{\alpha}{2}\right) < \frac{\bar{X}_n - \mu}{\sqrt{U^2/n}} < t_{n-1}\left(\frac{\alpha}{2}\right)\right) = 1 - \alpha$$
です．これを書き換えると
$$\mathrm{P}\left(\bar{X}_n - t_{n-1}\left(\frac{\alpha}{2}\right)\frac{U}{\sqrt{n}} < \mu < \bar{X}_n + t_{n-1}\left(\frac{\alpha}{2}\right)\frac{U}{\sqrt{n}}\right) = 1 - \alpha.$$
標本の実現値 $x_1, \cdots, x_n$ から計算する標本平均 $\bar{x}_n$, 不偏標準偏差 u を使って書き直すと
$$\mathrm{P}\left(\bar{x}_n - t_{n-1}\left(\frac{\alpha}{2}\right)\frac{u}{\sqrt{n}} < \mu < \bar{x}_n + t_{n-1}\left(\frac{\alpha}{2}\right)\frac{u}{\sqrt{n}}\right) = 1 - \alpha$$
を得ます．これが母分散が未知のときの母平均の信頼度 $100(1-\alpha)$% 信頼区間です．

正規母集団の母平均の区間推定（母分散未知） 正規母集団 $N(\mu, \sigma^2)$ からの無作為標本 $x_1, \cdots, x_n$ に対して，標本平均 $\bar{x}_n$，不偏分散 u^2 とすると，母平均の信頼度 $100(1-\alpha)\%$ の信頼区間は，

$$\bar{x}_n - t_{n-1}\left(\frac{\alpha}{2}\right)\frac{u}{\sqrt{n}} < \mu < \bar{x}_n + t_{n-1}\left(\frac{\alpha}{2}\right)\frac{u}{\sqrt{n}}.$$

上の信頼区間は，標本分散 s^2 を使って書き換えると，$ns^2 = (n-1)u^2$ の関係式から

$$\bar{x}_n - t_{n-1}\left(\frac{\alpha}{2}\right)\frac{s}{\sqrt{n-1}} < \mu < \bar{x}_n + t_{n-1}\left(\frac{\alpha}{2}\right)\frac{s}{\sqrt{n-1}}.$$

となります．

例題 10.2 (正規母集団の母平均の区間推定（母分散未知）) 平均と分散がともに未知の正規母集団から 26 個の無作為標本をとった．標本平均は $\bar{x}_{26} = 70$，不偏分散は $u^2 = 36$ であった．母平均の信頼度 95％の信頼区間は？

解答 問題より，$n = 26, u = 6, \alpha = 0.05$ です．自由度は 25 ですから，t 分布表を読んで，$t_{25}\left(\frac{0.05}{2}\right) = 2.060$ を得ます．これより，

$$70 - 2.060 \times \frac{6}{\sqrt{26}} < \mu < 70 + 2.060 \times \frac{6}{\sqrt{26}}.$$

したがって，母平均の信頼度 95％の信頼区間は $67.5760 < \mu < 72.4240$．

10.1.3 大標本–任意の母集団

母集団分布がわからない場合に対する母平均の区間推定を考えてみましょう．標本数 n が十分に大きいことをを**大標本**と呼びます．およそ $n \geq 30$ を指します．母集団分布は平均 μ と分散 σ をもつとします．大きさ n の無作為標本 $X_1, \cdots, X_n$ に対する標本平均 $\bar{X}_n$ を正規化した

$$Z_n = \frac{\bar{X}_n - \mu}{\sigma/\sqrt{n}}$$

は，n が十分大きいときに，**中心極限定理**によって標準正規分布 $N(0,1)$ に従います．したがって，§10.1 の正規母集団に対する母平均の区間推定と同じ議

論が成り立ち，母分散が既知の場合には，信頼度 $100(1-\alpha)\%$ の母平均の信頼区間は

$$\bar{x}_n - z\left(\frac{\alpha}{2}\right)\frac{\sigma}{\sqrt{n}} < \mu < \bar{x}_n + z\left(\frac{\alpha}{2}\right)\frac{\sigma}{\sqrt{n}}.$$

となります．大標本なので母分散 σ^2 を不偏分散 U^2 で十分に近似できると考えます．よって，母分散が未知の場合には，信頼度 $100(1-\alpha)\%$ の母平均の信頼区間は

$$\bar{x}_n - z\left(\frac{\alpha}{2}\right)\frac{u}{\sqrt{n}} < \mu < \bar{x}_n + z\left(\frac{\alpha}{2}\right)\frac{u}{\sqrt{n}}$$

で与えられます．まとめておきます．

大標本のときの母平均の区間推定 母平均 μ，母分散 σ^2 をもつ任意の母集団からの無作為標本 $x_1, \cdots, x_n$ に対して，標本平均 $\bar{x}_n$，不偏分散 u^2 とする．大標本のとき，母平均の信頼度 $100(1-\alpha)\%$ の信頼区間は，

(1) （母分散既知）

$$\bar{x}_n - z\left(\frac{\alpha}{2}\right)\frac{\sigma}{\sqrt{n}} < \mu < \bar{x}_n + z\left(\frac{\alpha}{2}\right)\frac{\sigma}{\sqrt{n}}.$$

(2) （母分散未知）

$$\bar{x}_n - z\left(\frac{\alpha}{2}\right)\frac{u}{\sqrt{n}} < \mu < \bar{x}_n + z\left(\frac{\alpha}{2}\right)\frac{u}{\sqrt{n}}.$$

これは，正規母集団にも大標本ならばもちろん適用できます．なお，§10.1-1,§10.1-2 で取り上げた正規母集団の場合の母平均の信頼区間は，大標本でも小標本でも標本数にかかわらず使えることに留意しておきましょう．

10.2　母比率の区間推定

母集団がある特性 A をもつ集合ともたない集合からできているとします．このとき，母集団の中の A の占めている比率 p (**母比率**) を区間推定する方法を考えてみましょう．これは，たとえば，ある政党の支持率やある番組の視聴率に適用できます．

126　第10章　区間推定

標本の大きさが n の無作為標本 X_i, $i = 1, 2, \cdots$ において，

$$X_i = \begin{cases} 1, & \text{特性 } A \text{ をもつ}, \\ 0, & \text{特性 } A \text{ をもたない}, \end{cases}$$

とすれば，$S_n = X_1 + \cdots + X_n$ は，n 回の独立試行において特性 A をもつものの個数を表し，二項分布 $B(n, p)$ に従います．したがって，標本数 n が十分大きいときには，ド・モアブル-ラプラスの定理（定理 7.4）より

$$Z_n = \frac{S_n - np}{\sqrt{np(1-p)}}$$

は標準正規分布 $N(0, 1)$ に従います．$\alpha > 0$ に対して，$z\left(\frac{\alpha}{2}\right)$ を §10.1 と同じものとすれば，

$$P\left(-z\left(\frac{\alpha}{2}\right) < \frac{S_n - np}{\sqrt{np(1-p)}} < z\left(\frac{\alpha}{2}\right)\right) = 1 - \alpha. \tag{10.1}$$

が成り立ちます．確率の中の不等式を p について書き直します．不等式の分母をはらって，$|S_n - np| < z\left(\frac{\alpha}{2}\right)\sqrt{np(1-p)}$ を 2 乗し，p の 2 次不等式にすると

$$\left(n + z\left(\frac{\alpha}{2}\right)^2\right)np^2 - \left(2S_n + z\left(\frac{\alpha}{2}\right)^2\right)np + S_n^2 < 0.$$

左辺 $= 0$ とした p の 2 次方程式を解の公式を使って求めて，$p_A = \frac{S_n}{n}$（標本の中で特性 A をもつ割合．**標本比率**ともいいます）とおいて，(10.1) を書き直すと，

$$P\left(\frac{p_A + \frac{z\left(\frac{\alpha}{2}\right)^2}{2n} - z\left(\frac{\alpha}{2}\right)\sqrt{\frac{p_A(1-p_A)}{n} + \frac{z\left(\frac{\alpha}{2}\right)^2}{4n^2}}}{1 + \frac{z\left(\frac{\alpha}{2}\right)^2}{n}} < \right.$$

$$\left. p < \frac{p_A + \frac{z\left(\frac{\alpha}{2}\right)^2}{2n} + z\left(\frac{\alpha}{2}\right)\sqrt{\frac{p_A(1-p_A)}{n} + \frac{z\left(\frac{\alpha}{2}\right)^2}{4n^2}}}{1 + \frac{z\left(\frac{\alpha}{2}\right)^2}{n}}\right) = 1 - \alpha.$$

n が十分に大きいとしているので，$\frac{1}{n}$ 程度の微少量を無視して，$\frac{1}{\sqrt{n}}$ 程度の微

少量を残すと，

$$P\left(p_A - z\left(\frac{\alpha}{2}\right)\sqrt{\frac{p_A(1-p_A)}{n}} < p < p_A + z\left(\frac{\alpha}{2}\right)\sqrt{\frac{p_A(1-p_A)}{n}}\right) = 1-\alpha.$$

これが母比率の信頼度 $100(1-\alpha)\%$ の信頼区間です．

母比率の区間推定・大標本 十分に大きな n 個の無作為標本中に特性 A をもつ割合が p_A であるとき，母比率 p の信頼度 $100(1-\alpha)\%$ の信頼区間は，

$$p_A - z\left(\frac{\alpha}{2}\right)\sqrt{\frac{p_A(1-p_A)}{n}} < p < p_A + z\left(\frac{\alpha}{2}\right)\sqrt{\frac{p_A(1-p_A)}{n}}.$$

例題 10.3 (母比率の区間推定) 300 人の有権者に，政党 A を支持するかどうかを無作為に尋ねたら，72 人が支持をすると答えた．全有権者のうち，政党 A の支持率の信頼度 95%の信頼区間は？

解答 政党 A の支持率を p とする．$n = 300 > 30$ なので大標本です．問題から $p_A = \frac{72}{300} = 0.24$, $z\left(\frac{0.05}{2}\right) = 1.96$ ですから，p の信頼度 95%の信頼区間は

$$0.24 - 1.96\sqrt{\frac{0.24 \times (1-0.24)}{300}} < p < 0.24 + 1.96\sqrt{\frac{0.24 \times (1-0.24)}{300}}.$$

したがって，$0.19 < p < 0.29$.

10.3 正規母集団の母分散の区間推定

次は母分散の区間推定です．$X_1, \cdots, X_n$ を正規母集団 $N(\mu, \sigma^2)$ からの無作為標本とします．実際に標本調査をして得られた標本を $x_1, \cdots, x_n$ とします．標本分散を S^2，不偏分散を U^2 とします．このとき定理 8.4 より

$$\chi^2 = \sum_{i=1}^{n}\left(\frac{X_i - \bar{X}_n}{\sigma}\right)^2 = \frac{(n-1)U^2}{\sigma^2}$$

は自由度 $n-1$ の χ^2 分布に従います．χ^2 分布表より，$0 < \alpha < 1$ に対して

$$P\left(\chi_{n-1}^2\left(\frac{\alpha}{2}\right) \geq \chi^2\right) = \frac{\alpha}{2}, \quad P\left(\chi_{n-1}^2\left(1-\frac{\alpha}{2}\right) \leq \chi^2\right) = \frac{\alpha}{2}$$

となる $\chi^2_{n-1}\left(1-\frac{\alpha}{2}\right)$ と $\chi^2_{n-1}\left(\frac{\alpha}{2}\right)$ を探し，$\chi^2 = \frac{(n-1)u^2}{\sigma^2}$ を用いると，

$$P\left(\chi^2_{n-1}\left(1-\frac{\alpha}{2}\right) < \frac{(n-1)u^2}{\sigma^2} < \chi^2_{n-1}\left(\frac{\alpha}{2}\right)\right) = 1-\alpha$$

となります．上式を書き直すと，次のように母分散の信頼区間が得られます．

正規母集団の母分散の区間推定 正規母集団 $N(\mu, \sigma^2)$ からの無作為標本 $x_1, \cdots, x_n$ による不偏分散を u^2 とすると，母分散 σ^2 の信頼度 $100(1-\alpha)\%$ の信頼区間は

$$\frac{(n-1)u^2}{\chi^2_{n-1}\left(\frac{\alpha}{2}\right)} < \sigma^2 < \frac{(n-1)u^2}{\chi^2_{n-1}\left(1-\frac{\alpha}{2}\right)}.$$

信頼区間の中の $(n-1)u^2$ を ns^2 で置き換えてもよい．

例題 10.4 (正規母集団の母分散の区間推定) 正規母集団 $N(0, \sigma^2)$ から大きさ 10 の無作為標本を抽出した．標本分散は 28 であった．母分散 σ^2 の信頼度 95%の信頼区間は？

解答 χ^2 分布表より，$\chi^2_9(0.025) = 19.02$，$\chi^2_9(0.975) = 2.70$ ですから，σ^2 の信頼度 95%の信頼区間は

$$\frac{10 \times 28}{19.02} < \sigma^2 < \frac{10 \times 28}{2.70}.$$

したがって，$14.72 < \sigma^2 < 103.70$．

10.4　2つの正規母集団の母平均の差の区間推定

10.4.1　母分散既知

2つの別の正規母集団の平均の差の区間推定を考えます．$X_1, \cdots, X_{n_1}$ を正規母集団 $N(\mu_1, \sigma_1^2)$ からの大きさ n_1 の無作為標本，$Y_1, \cdots, Y_{n_2}$ を正規母集団 $N(\mu_2, \sigma_2^2)$ からの大きさ n_2 の無作為標本とし，$X_1, \cdots, X_{n_1}$ と $Y_1, \cdots, Y_{n_2}$ は互いに独立とし，標本平均をそれぞれ $\bar{X}_{n_1}, \bar{Y}_{n_2}$ とします．定理 8.1 から，$\bar{X}_{n_1} \sim N\left(\mu_1, \sigma_1^2/n_1\right), \bar{Y}_{n_2} \sim N\left(\mu_2, \sigma_2^2/n_2\right)$ です．正規分布の再生性から，$\bar{X}_{n_1} - \bar{Y}_{n_2}$ は正規分布 $N\left(\mu_1 - \mu_2, \sigma_1^2/n_1 + \sigma_2^2/n_2\right)$ に従います．よって，正

規化した

$$\frac{(\bar{X}_{n_1} - \bar{Y}_{n_2}) - (\mu_1 - \mu_2)}{\sqrt{\frac{\sigma_1^2}{n_1} + \frac{\sigma_2^2}{n_2}}}$$

は標準正規分布 $N(0,1)$ に従います．したがって，§10.1.1 の 1 つの正規母集団の場合と同じように考えれば，次を得ます．

---

2 つの正規母集団の母平均の差の区間推定（母分散既知） 2 つの正規母集団 $N(\mu_1, \sigma_1^2), N(\mu_2, \sigma_2^2)$ からのそれぞれ n_1, n_2 個の独立な無作為標本による標本平均を，$\bar{x}_{n_1}, \bar{y}_{n_2}$ とすると，母平均の差の信頼度 $100(1-\alpha)\%$ の信頼区間は

$$\bar{x}_{n_1} - \bar{y}_{n_2} - z\left(\frac{\alpha}{2}\right)\sqrt{\frac{\sigma_1^2}{n_1} + \frac{\sigma_2^2}{n_2}} < \mu_1 - \mu_2 < \bar{x}_{n_1} - \bar{y}_{n_2} + z\left(\frac{\alpha}{2}\right)\sqrt{\frac{\sigma_1^2}{n_1} + \frac{\sigma_2^2}{n_2}}.$$

10.4.2 母分散未知（2 つの分散は等しい）

$X_1, \cdots, X_{n_1}$ は $N(\mu_1, \sigma_1^2)$ からの，$Y_1, \cdots, Y_{n_2}$ は $N(\mu_2, \sigma_2^2)$ からの無作為標本とします．2 つの母分散は等しく $\sigma_1^2 = \sigma_2^2$ とし，これを σ^2 と書くことにします．標本平均の差 $\bar{X}_{n_1} - \bar{Y}_{n_2}$ は正規分布 $N(\mu_1 - \mu_2, (\frac{1}{n_1} + \frac{1}{n_2})\sigma^2)$ に従います．$X_1, \cdots, X_{n_1}$ と $Y_1, \cdots, Y_{n_2}$ の不偏分散をそれぞれ U_X^2, U_Y^2 とします．定理 8.4 より，$\frac{(n_1-1)U_X^2}{\sigma^2}, \frac{(n_2-1)U_Y^2}{\sigma^2}$ はそれぞれ自由度 n_1-1, n_2-1 の χ^2 分布に従います．カイ 2 乗分布の再生性（定理 8.3）から，

$$\frac{(n_1-1)U_X^2}{\sigma^2} + \frac{(n_2-1)U_Y^2}{\sigma^2}$$

は自由度 $n_1 + n_2 - 2$ の χ^2 分布に従います．よって，定理 8.7 より

$$t = \frac{\frac{(\bar{X}_{n_1} - \bar{Y}_{n_2}) - (\mu_1 - \mu_2)}{\sqrt{\frac{\sigma^2}{n_1} + \frac{\sigma^2}{n_2}}}}{\sqrt{\frac{\frac{(n_1-1)U_X^2}{\sigma^2} + \frac{(n_2-1)U_Y^2}{\sigma^2}}{n_1+n_2-2}}} = \frac{\frac{(\bar{X}_{n_1} - \bar{Y}_{n_2}) - (\mu_1 - \mu_2)}{\sqrt{\frac{1}{n_1} + \frac{1}{n_2}}}}{\sqrt{\frac{(n_1-1)U_X^2 + (n_2-1)U_Y^2}{n_1+n_2-2}}}$$

は自由度 $n_1 + n_2 - 2$ の t 分布に従います．したがって，§10.1.2 の 1 つの正規母集団の場合と同様に考えれば，次を得ます．

> **（2 つの正規母集団の母平均の差の区間推定（母分散未知・$\sigma_1^2 = \sigma_2^2$））** 2 つの独立な正規母集団 $N(\mu_1, \sigma_1^2), N(\mu_2, \sigma_2^2)$ からのそれぞれ n_1, n_2 個の無作為標本による標本平均を，それぞれ $\bar{x}_{n_1}, \bar{y}_{n_2}$，不偏分散をそれぞれ u_x^2, u_y^2 とすると，母平均の差の信頼度 $100(1-\alpha)\%$ の信頼区間は
> $$\bar{X}_{n_1} - \bar{Y}_{n_2} - t_{n_1+n_2-2}\left(\frac{\alpha}{2}\right)T < \mu_1 - \mu_2 < \bar{X}_{n_1} + \bar{Y}_{n_2} - t_{n_1+n_2-2}\left(\frac{\alpha}{2}\right)T$$
> ここで，
> $$T = \sqrt{\frac{1}{n_1} + \frac{1}{n_2}} \sqrt{\frac{(n_1-1)u_x^2}{(n_1+n_2-2)} + \frac{(n_2-1)u_y^2}{(n_1+n_2-2)}}.$$

10.4.3 母分散未知・大標本

母分散が未知で標本数 n が十分に大きい大標本（およそ $n \geq 30$）の場合には，母分散 σ_1^2, σ_2^2 をそれぞれ不偏分散 U_X^2, U_Y^2 で近似しても誤差はとても小さいと考えられ，**中心極限定理**を使えば，
$$\frac{(\bar{X}_{n_1} - \bar{Y}_{n_2}) - (\mu_1 - \mu_2)}{\sqrt{\frac{U_X^2}{n_1} + \frac{U_Y^2}{n_2}}}$$
は近似的に標準正規分布 $N(0,1)$ に従います．したがって，次を得ます．

> **（2 つの正規母集団の母平均の差の区間推定（母分散未知・大標本））** 2 つの独立な正規母集団 $N(\mu_1, \sigma_1^2), N(\mu_2, \sigma_2^2)$ からのそれぞれ n_1, n_2 個の無作為標本による標本平均，不偏分散を，それぞれ $\bar{x}_{n_1}, \bar{y}_{n_2}, u_x^2, u_y^2$ とすると，母平均の差の信頼度 $100(1-\alpha)\%$ の信頼区間は
> $$\bar{x}_{n_1} - \bar{y}_{n_2} - z\left(\frac{\alpha}{2}\right)\sqrt{\frac{u_x^2}{n_1} + \frac{u_y^2}{n_2}} < \mu_1 - \mu_2 < \bar{x}_{n_1} - \bar{y}_{n_2} + z\left(\frac{\alpha}{2}\right)\sqrt{\frac{u_x^2}{n_1} + \frac{u_y^2}{n_2}}.$$

さらに大標本の場合には，不偏分散を標本分散で近似してもさほど誤差は少ないと考えて，信頼区間の中で u_x^2, u_y^2 をそれぞれ s_x^2, s_y^2 で置き換えても OK です．

10章の演習問題

10.1 (正規母集団の母平均の区間推定 (分散既知) と標本数決定) ある工場で生産される規格品の野球のバットの重さは正規分布に従い，その分散は 0.36^2kg である．(1) このバットの中から 20 本を無作為に抽出し重さを計った．平均値は 8.12kg であった．バットの重さの平均を信頼度 95% の信頼区間は？(2) 信頼度を 95% としてバットの重さの平均を区間推定するとき，信頼区間の幅が 0.2kg 以下となるようにするためには，標本の大きさをいくつにすればよいか？

10.2 (正規母集団の母平均の区間推定 (分散未知)) ある学校の生徒 40 人を無作為に選び 1 週間にテレビを見る時間を聞いた．平均は 18.2 時間，標準偏差 5.4 時間であった．この学校の生徒のテレビ平均視聴時間 μ に対する信頼度 95% の信頼区間は？

10.3 (母比率の区間推定) 200 人の野球ファンに，応援している球団を聞いたところ，60 人が千葉ロッテと答えた．全野球ファンのうち，千葉ロッテファンの比率の信頼度 95% の信頼区間は？

10.4 (正規母集団の母分散の区間推定) 平均 0，分散 σ^2 の正規母集団から大きさ 10 の標本を抽出して次の結果を得た．母分散の信頼度 95% の信頼区間は？

$0.067, 2.066, 3.192, 0.515, 2.194, -0.727, -0.547, -3.537, -1.613, 1.582$

10.5 (2 つの正規母集団の母平均の差の区間推定 (母分散未知・大標本)) マイナーリーグ A 球団の主催 80 試合の入場者数のデータから，平均 1070，分散 472 が得られた．一方，マイナーリーグ B 球団の主催 60 試合の入場者数データから，平均 1042，分散 366 が得られた．2 球団の主催試合入場者数の平均入場者数の差の 90% 信頼区間は？

11 検定

11.1 考え方

ある国の大統領の支持率がある月では 30％であったとします．翌月に 1000 人を無作為抽出して世論調査したところ 333 人がこの大統領を支持し，大統領支持率が 33％になったとします．このとき大統領支持率は変化したといえるでしょうか？

仮説として「大統領支持率が変化していない」としてみましょう．X を二項分布 $B(1000, 0.3)$ に従う確率変数として，X がその平均 $1000 \times 0.3 = 300$ から 30 以上離れる（3％以上支持率が変わる）事象の確率を求めてみましょう．この世論調査は，1 人ずつの調査は独立であり，その結果は支持するか，そうではないかの 2 通りですから，1000 人の中で大統領を支持する人数を二項分布に従う確率変数 X と考えます．ド・モアブル-ラプラスの定理（定理 7.4）を使うと，$Z = \frac{X-300}{\sqrt{1000 \times 0.3 \times 0.7}} \sim N(0,1)$ ですから，半整数補正をすれば

$$P(|X - 300| > 30) = P\left(|Z| > \frac{29.5}{\sqrt{1000 \times 0.3 \times 0.7}}\right)$$

$$= P(|Z| > 2.0357)$$

$$= 1 - 2 \times I(2.04)$$

$$\approx 0.0414$$

となります．これは「大統領支持率が変化していない」という仮定のもとで，確率 0.0414 の事象が生じたことを意味します．この確率は「ずいぶん稀な事象が起こった確率」であると判断すれば，起こりそうもないと思われることが

起きているので，初めに考えた仮説を疑って「大統領支持率が変化した」すなわち「大統領支持率が変化していないという仮説を否定できる」と結論できます．0.0414 は「稀な事象が起こる確率ではない」と判断すれば，「大統領支持率が変化していない」という仮説を肯定できると結論できます．

用語を説明します．この例では「大統領支持率が変化していない」という仮説を否定することを前提に検定をしますので，このように，否定することを前提とする仮説を**帰無仮説**と呼びます．仮説を否定できないことを**採択**と呼び，仮説を否定したときには**棄却**と呼びます．上の例では確率 0.0414 の事象は稀な事象が起こる確率であるかどうかの判断基準により，採択か棄却かという結論は変わりました．判断基準になる確率を**有意水準**または**危険率**と呼んでいます．有意水準としては 5%, 1% がよく採用されます．慣習的に有意水準は α で表し，5%, 1% をそれぞれ，$\alpha = 0.05, 0.01$ とも表記します．

これらの言葉を使うと，上の例題では帰無仮説 H_0 を

$$H_0 : p = 0.3 \text{（大統領支持率 30\%）}$$

としたときに，0.05 > 0.0414 ですから「帰無仮説 H_0 は有意水準 5% で棄却され，大統領支持率は変化した」と判定されます．しかし，0.0414 > 0.01 ですから「有意水準 1% で採択され，大統領支持率は変化していない」とも判定されます．

判定が間違っている可能性もあります．「帰無仮説が実際には真であるのに，帰無仮説を棄却してしまう」誤りを**第 1 種の過誤**といい，「帰無仮説が実際には真でないのに，帰無仮説を採択してしまう」誤りを**第 2 種の過誤**といいます．一般に第 2 種の過誤のほうが重大であるとされています．たとえば，裁判で，「ある犯罪者が有罪である」を帰無仮説としてみましょう．第 1 種の過誤は「有罪者を無罪とする」です．第 2 種の過誤は「無罪者を有罪とする」ことになり，冤罪を生みます．

では，有意水準 5% で，1000 人のうち何人以上がこの大統領を支持していれば帰無仮説 H_0 は棄却されるかを考えてみましょう．これを求めるには

$$P(|X - 300| > x) = 0.05$$

となる x を求めれば OK です．すなわち，

$$P(|X-300|>x) = P\left(|Z|>\frac{x-0.5}{\sqrt{1000\times 0.3\times 0.7}}\right)=0.05$$

となる x を求めます．真ん中の式の確率は，右辺の分数の分子で x を $x-0.5$ に半整数補正しています．Z が標準正規分布に従うので，正規分布表を読めば

$$P(|Z|>1.96)=0.05$$

ですから

$$\frac{x-0.5}{\sqrt{1000\times 0.3\times 0.7}}=1.96.$$

したがって，$x=28.9$．つまり 300+28.9≈329 人より大きければ，有意水準 5% で帰無仮説 H は棄却されます．このように有意水準を定めたときに，棄却する領域を**棄却域**といいます．この例の場合は，棄却域は (272 人より小さい，329 人より大きい) となります．x を人数とすれば，$x<272, 329<x$ ですが，これを $(-\infty,272), (329,\infty)$ のように表します．

上の例では，大統領支持率は変化する，すなわち，上がるか下がるかを検定しました．このような検定を**両側検定**と呼んでいます．一方，「大統領支持率が上がった」または「大統領支持率が下がった」という仮説を検定することを**片側検定**といいます．また，帰無仮説に対して，帰無仮説を棄却したときの仮説を**対立仮説**といいます．上の例では，両側検定であることを明示するために，

帰無仮説 $H_0 : p=0.3$, 対立仮説 $H_1 : p\neq 0.3$

と書きます．一方，「大統領支持率が上がった」という仮説を片側検定するときには，片側検定を明示するために，

帰無仮説 $H_0 : p=0.3$, 対立仮説 $H_1 : p>0.3$

と書きます．

以上より，検定の手順をまとめ，これに基づき次章以降を解説します．

> **検定の手順**
> 1. 帰無仮説 H_0 を設定．両側検定か片側検定かを決める．
> 2. 検定統計量を定める．
> 3. 有意水準 α を定める．
> 4. 棄却域を求める．
> 5. 標本調査の結果が棄却域に入っていれば帰無仮説を「棄却」し，入っていなければ「採択」する．

11.2 正規母集団の母平均の検定（母分散既知）

正規母集団 $N(\mu, \sigma^2)$ についての帰無仮説

$$H_0 : \mu = \mu_0$$

に対する検定を考えましょう．母分散 σ^2 は既知とし，$X_1, \cdots, X_n$ を母集団からの無作為標本，$x_1, \cdots, x_n$ を実現値とします．十分大きな数の標本をとれば，中心極限定理より仮説 H_0 のもとで，標本平均 $\bar{X}_n$ は正規分布 $N(\mu_0, \sigma^2/n)$ に従い，正規化した

$$Z_n = \frac{\bar{X}_n - \mu_0}{\sqrt{\sigma^2/n}} \tag{11.1}$$

は標準正規分布 $N(0,1)$ に従います．Z_n を**検定統計量**といいます．区間推定のときと同様に，有意水準 $\alpha > 0$ に対して標準正規分布の上側 $\frac{\alpha}{2}$ 点を $z\left(\frac{\alpha}{2}\right)$ とします．すなわち，

$$\mathrm{P}\left(Z_n > z\left(\frac{\alpha}{2}\right)\right) = \frac{\alpha}{2}$$

により $z\left(\frac{\alpha}{2}\right)$ を定めます．たとえば，$z\left(\frac{0.05}{2}\right) = 1.96, z\left(\frac{0.1}{2}\right) = 1.645$ です[1]．

11.2.1 両側検定

両側検定ですから，有意水準 α で帰無仮説 H_0 に対して，対立仮説 H_1 は

$$H_1 : \mu \neq \mu_0$$

---

[1] 巻末の表から $I(1.64) = 0.4495, I(1.65) = 0.4505$．簡易的に中点をとって $I\left(\frac{1.64+1.65}{2}\right) = I(1.645) = 0.45$ とみなして求めます．

です．したがって，$\mathrm{P}\left(|Z_n| > z\left(\frac{\alpha}{2}\right)\right)$ ならば H_0 を採択，そうでなければ H_0 を棄却して H_1 を採択します．両側検定の棄却域は $\left(-\infty, -z\left(\frac{\alpha}{2}\right)\right), \left(z\left(\frac{\alpha}{2}\right), \infty\right)$ で得られます．検定の計算方法をまとめておきましょう．

母平均の検定（両側検定：母分散 σ^2 既知）

(1) 帰無仮説 $H_0 : \mu = \mu_0$ を定め，標本 $x_1, \cdots, x_n$ から，次を計算．
$$\text{検定統計量：} z = \frac{\bar{x}_n - \mu_0}{\sqrt{\sigma^2/n}}$$

(2) 有意水準 α に対する**棄却域**: $\left(-\infty, -z\left(\frac{\alpha}{2}\right)\right), \left(z\left(\frac{\alpha}{2}\right), \infty\right)$ を定める．

(3) z が棄却域に入れば帰無仮説 H_0 を棄却し対立仮説 H_1 を採択する．入らなければ帰無仮説 H_0 を採択する．

11.2.2 片側検定

帰無仮説 H_0 に対して，対立仮説 $H_2 : \mu > \mu_0$ を有意水準 α で検定することを考えます．片側検定ですから，帰無仮説 H_0 のもとで

$$\mathrm{P}(Z_n > z(\alpha)) = \alpha$$

となる $z(\alpha)$ を定めます．

これより，標本調査の結果から計算した Z_n（両側検定のときと同じ量です）が次の棄却域に入れば帰無仮説 H_0 を棄却し，対立仮説 H_2 を採択します．これを右片側検定といいます．左片側検定のときは対立仮説は $H_3 : \mu < \mu_0$ ですから，棄却域は右片側検定の棄却域と対称になります．

正規母集団の母平均の検定（片側検定：母分散 σ^2 既知）の棄却域

右片側検定 : $(z(\alpha), \infty)$

左片側検定 : $(-\infty, z(\alpha))$

例題 11.1 (正規母集団の母平均の検定（両側検定：母分散既知）) コーヒー豆キリマンジャロのある袋詰め機械が袋に詰めるキリマンジャロの重さは $\mu = 100$ グラム，$\sigma = 5$ グラムの正規分布に従うように調整されて

いる．機械が正しく調整されているかどうかを確かめるために9個の袋の無作為標本をとってキリマンジャロの重さを量ったら，平均は102.4 グラムであった．この機械は正しく調整されているか，有意水準5%で検定せよ．

解答　キリマンジャロの重さを X とすると，$X \sim N(\mu, 5^2)$．正しく調整されていなければ，100 グラムより多いか，または少ない量を袋詰めしてしまうから，両側検定をします．帰無仮説 H_0，対立仮説 H_1 はそれぞれ

$$H_0 : \mu = 100, \quad H_1 : \mu \neq 100.$$

$n = 9, \sigma = 5, \bar{x}_9 = 102.4$ だから，検定統計量 Z_n の値 z は

$$z = \frac{\bar{x}_9 - \mu_0}{\sigma/\sqrt{n}} = \frac{102.4 - 100}{5/\sqrt{9}} = 1.44.$$

有意水準5% ($\alpha = 0.05$) ですから，$z\left(\frac{0.05}{2}\right) = z(0.025) = 1.96$．したがって，棄却域は，$(-\infty, -1.96), (1.96, \infty)$．$z = 1.44$ は棄却域に入りませんから，帰無仮説 H_0 は採択され，正しく調整されていると判断されます．

11.3　正規母集団の母平均の検定（母分散未知）

母分散が未知の場合の検定です．正規母集団 $N(\mu, \sigma^2)$ に対して帰無仮説 $H_0 : \mu^2 = \mu_0^2$ を検定します．母平均の区間推定のときと同じように，母分散の代わりに不偏分散 u^2 を用います．

$$\text{検定統計量}: t = \frac{\bar{X}_n - \mu_0}{\sqrt{u^2/n}} \tag{11.2}$$

とすれば，定理 8.8 より，t は自由度 $n-1$ の t 分布に従います．

両側検定の対立仮説 H_1 は $H_1 : \mu \neq \mu_0$．t 分布表より，有意水準 α に対して，上側 $\frac{\alpha}{2}$ 点 $t_{n-1}\left(\frac{\alpha}{2}\right)$ を

$$\mathrm{P}\left(t > t_{n-1}\left(\frac{\alpha}{2}\right)\right) = \frac{\alpha}{2}$$

となるように定めます．左片側検定の対立仮説 $H_2 : \mu < \mu_0$ に対しては

$$\mathrm{P}(t < -t_{n-1}(\alpha)) = \alpha$$

となる $-t_{n-1}(\alpha)$ に対して,棄却域を定めます.右片側検定の棄却域も同様に与えられます.

正規母集団の母平均の検定(母分散未知)の棄却域

両側検定 : $\left(-\infty, -t_{n-1}\left(\frac{\alpha}{2}\right)\right), \left(t_{n-1}\left(\frac{\alpha}{2}\right), \infty\right)$

右片側検定 : $(t_{n-1}(\alpha), \infty)$

左片側検定 : $(-\infty, -t_{n-1}(\alpha))$

検定統計量 t が棄却域に入っていれば,帰無仮説 H_0 を棄却します.

例題 11.2 (正規母集団の母平均の検定(両側検定:母分散未知)) あるマイナーリーグ球団がシーズンに入ってからの1試合あたりの入場者数を9試合測定して,次の値を得た.

$$1475, 1420, 1433, 1452, 1411, 1466, 1432, 1453, 1414$$

このマイナーリーグ球団は今期1試合あたりの平均入場者数を1455人と予測して,シーズン初めに経営計画を立てた.この結果から,平均入場者数の予測間違いではないという仮説を有意水準5%で検定せよ.

解答 1455人を上回りすぎても下回りすぎても予測間違いであるから両側検定です.帰無仮説 H_0,対立仮説 H_1 はそれぞれ

$$H_0 : \mu = 1455, \quad H_1 : \mu \neq 1455.$$

問題文より, $n = 9$. 標本平均 $\bar{x}_9$ は

$$\bar{x}_9 = \frac{1475 + 1420 + \cdots + 1414}{9} = 1442.9.$$

不偏分散 u^2 は, $u^2 = \frac{n}{n-1}s^2$ の計算式で, $\sum_{i=1}^{9} x_i^2 = 1475^2 + \cdots + 1414^2 = 18740684$ を使って,

$$u^2 = \frac{n}{n-1}\left\{\frac{\sum_{i=1}^{n} x_i^2}{n} - \left(\frac{\sum_{i=1}^{n} x_i}{n}\right)^2\right\} = \frac{9}{8}\left\{\frac{18740684}{9} - \left(\frac{12986}{9}\right)^2\right\}$$

$$= 416.1.$$

有意水準5% ($\alpha = 0.05$), 自由度8だから, t 分布表より, $t_8\left(\frac{0.05}{2}\right) = t_8(0.025) = $

2.306. したがって，棄却域は，$(-\infty, -2.306), (2.306, \infty)$. 検定統計量 t の値は
$$t = \frac{\bar{x}_9 - \mu_0}{\sqrt{u^2/n}} = \frac{1442.9 - 1455}{\sqrt{416.1/9}} = -1.78.$$
-1.78 は棄却域に入らないので，帰無仮説 H_0 を採択．したがって，経営計画で定めた予測数は間違いではないと判断されます．

11.4　母比率の検定

母集団が A に属するものと属さないものの 2 種類からなっているとき，A の占める割合（母比率）に対する検定です．A の母比率を p として帰無仮説 H_0,
$$H_0 : p = p_0$$
として有意水準 α で検定します．大きさ n の無作為標本を抽出したとき，n_A 個が A であったとします．また，S_n を二項分布 $B(n, p_0)$ に従う確率変数とすると，ド・モアブル-ラプラスの定理より，$p_n = \frac{S_n}{n}$ とおけば，仮説 H_0 のもとでは

$$\text{検定統計量：} Z_n = \frac{S_n - np_0}{\sqrt{np_0(1-p_0)}} = \frac{p_n - p_0}{\sqrt{p_0(1-p_0)/n}} \tag{11.3}$$

は標準正規分布 $N(0,1)$ に従います[2]．

両側検定では有意水準 α に対して，上側 $\frac{\alpha}{2}$ 点 $z\left(\frac{\alpha}{2}\right)$ を
$$\mathrm{P}\left(|Z_n| > z\left(\frac{\alpha}{2}\right)\right) = \alpha$$
により定めます．右片側検定の場合には有意水準 α に対して，上側 α 点 $z(\alpha)$ を
$$\mathrm{P}(Z_n > z(\alpha)) = \alpha$$
により定めます．左片側検定の場合には有意水準 α に対して，$z(\alpha)$ を
$$\mathrm{P}(Z_n < -z(\alpha)) = \alpha$$
により定めます．

---

[2] 標本数 n が少ないときには標準正規分布への近似がよくないので，この検定を行う場合には A に属するものの標本数，A に属さないものの標本数がともに 5 以上である程度に n は大きくなければなりません．

> **母比率の検定の棄却域**
>
> 両側検定 : $\left(-\infty, -z\left(\frac{\alpha}{2}\right)\right), \left(z\left(\frac{\alpha}{2}\right), \infty\right).$
>
> 右片側検定 : $(z(\alpha), \infty)$
>
> 左片側検定 : $(-\infty, -z(\alpha))$

検定統計量 Z_n が棄却域に入っていれば有意水準 α で帰無仮説 H_0 を棄却します.

例題 11.3 (母比率の検定) サイコロを 300 回投げたら 1 の目が 72 回出た. このサイコロは偏っていると判断してよいか, 有意水準 5% で検定せよ.

解答 偏ってないサイコロならば, 300 回で 1 の目が出る回数の平均は $300 \times \frac{1}{6} = 50$ 回. 72 回は 50 回より多すぎるので, 偏っているとすれば 1 の目がよく出る方に偏っていると考えられます. この考察から片側検定を行います. 1 の目を出す確率を p として, 帰無仮説 H_0, 対立仮説 H_1 はそれぞれ,

$$H_0: p = \frac{1}{6}, \quad H_1: p > \frac{1}{6}.$$

問題より, $n = 300, p_{300} = \frac{72}{300} = 0.24$. 有意水準は $\alpha = 0.05$ で, 片側検定ですから, $z(0.05) = 1.645$. したがって, 棄却域は $(1.645, \infty)$ です. 検定統計量 Z_n の値 z を計算すると

$$z = \frac{p_n - p_0}{\sqrt{p_0(1-p_0)/n}} = \frac{0.24 - \frac{1}{6}}{\sqrt{\left(\frac{1}{6} \times \frac{5}{6}\right)/300}} = 3.41.$$

この値は棄却域に入りますから, 帰無仮説 H_0 は棄却され, 対立仮説 H_1 が採択されます. したがって, サイコロは偏っていると判断されます.

11.5 正規母集団の母分散の検定

正規母集団 $N(\mu, \sigma^2)$ に対して帰無仮説 $H_0: \sigma = \sigma_0$ を検定します. 定理 8.4 から

$$\text{検定統計量}: \chi^2 = \frac{(n-1)U^2}{\sigma_0^2}$$

は自由度 $n-1$ の χ^2 分布に従います．両側検定では，対立仮説 $H_1 : \sigma^2 \neq \sigma_0^2$ であり，有意水準 α に対して

$$P\left(\chi^2 < \chi^2_{n-1}\left(1-\frac{\alpha}{2}\right)\right) = \frac{\alpha}{2}, \ P\left(\chi^2 > \chi^2_{n-1}\left(\frac{\alpha}{2}\right)\right) = \frac{\alpha}{2}$$

となる $\chi^2_{n-1}\left(1-\frac{\alpha}{2}\right), \chi^2_{n-1}\left(\frac{\alpha}{2}\right)$ を定めます．右片側検定では，対立仮説 $H_2 : \sigma^2 > \sigma_0^2$ であり，

$$P\left(\chi^2 > \chi^2_{n-1}(\alpha)\right) = \alpha$$

となる $\chi^2_{n-1}(\alpha)$ を定めます．左片側検定では，対立仮説 $H_3 : \sigma^2 < \sigma_0^2$ であり，

$$P\left(\chi^2 < \chi^2_{n-1}(1-\alpha)\right) = \alpha$$

となる $\chi^2_{n-1}(1-\alpha)$ を定めます．棄却域は次です．

正規母集団の母分散の検定の棄却域

両側検定 : $\left(0, \chi^2_{n-1}\left(1-\frac{\alpha}{2}\right)\right), \left(\chi^2_{n-1}\left(\frac{\alpha}{2}\right), \infty\right)$

右片側検定 : $\left(\chi^2_{n-1}(\alpha), \infty\right)$

左片側検定 : $\left(0, \chi^2_{n-1}(1-\alpha)\right)$

例題 11.4 (母分散の検定) メジャーリーグ西地区 D 球団の 1 試合あたりの平均得点数は分散 10 の正規分布に従うことが過去のデータからわかっているとする．次のデータは，D 球団の直近 12 週間に得られた「1 週間の間に行われた試合の平均得点数」とする．分散 10 は変化したかどうか，有意水準 5% で検定せよ．

5.8, 2.9, 3.7, 5.0, 7.6, 5.1, 3.1, 7.9, 1.9, 4.8, 3.7, 4.3

解答 分散の変化は増える場合と減る場合を含みますから，両側検定をします．帰無仮説 H_0 と対立仮説 H_1 は

$$H_0 : \sigma^2 = 10.0, \ \ H_1 : \sigma^2 \neq 10.0.$$

$n = 12$ で，$\alpha = 0.05$ に対して，χ^2 分布表から $\chi^2_{11}(0.975) = 3.816$, $\chi^2_{11}(0.025) = 21.920$ ですから，棄却域は $(0, 3.816), (21.920, \infty)$．標本平均 $\bar{x}_{12}$，不偏分散

u^2 は，それぞれ

$$\bar{x}_{12} = \frac{5.8 + \cdots + 4.3}{12} = 4.65,$$

$$u^2 = \frac{1}{11}\left\{(5.8 - 4.65)^2 + \cdots + (4.3 - 4.65)^2\right\} = \frac{35.89}{11}.$$

検定統計量 χ^2 の値は

$$\chi^2 = \frac{(n-1)u^2}{\sigma_0^2} = \frac{11 \times \frac{35.89}{11}}{10.0} = 3.589.$$

この値は棄却域に入りますから，帰無仮説 H_0 を棄却し，対立仮説 H_1 を採択します．よって，分散は変化したと判断されます．

11.6　2つの正規母集団の母平均の差の検定

11.6.1　母分散既知

2つの正規母集団があるとし，それらの母平均が等しいかどうかを検定します．母分散は既知とし，$X_1, X_2, \cdots, X_{n_1}$ を正規分布 $N(\mu_1, \sigma_1^2)$ からの無作為標本，$Y_1, Y_2, \cdots, Y_{n_2}$ を正規分布 $N(\mu_2, \sigma_2^2)$ からの無作為標本とします．帰無仮説は

$$H_0 : \mu_1 = \mu_2$$

標本平均 $\bar{X}_{n_1}, \bar{Y}_{n_2}$ は，定理 8.1 から，それぞれ $N\left(\mu_1, \frac{\sigma_1^2}{n_1}\right), N\left(\mu_2, \frac{\sigma_2^2}{n_2}\right)$ に従います．そして，$\bar{X}_{n_1} - \bar{Y}_{n_2}$ は正規分布の再生性から $N\left(\mu_1 - \mu_2, \frac{\sigma_1^2}{n_1} + \frac{\sigma_2^2}{n_2}\right)$ に従います．したがって，

$$\text{検定統計量}: Z = \frac{\bar{X}_{n_1} - \bar{Y}_{n_2}}{\sqrt{\frac{\sigma_1^2}{n_1} + \frac{\sigma_2^2}{n_2}}} \tag{11.4}$$

とおけば，Z は標準正規分布に従います．なお，$n_1 \geq 30, n_2 \geq 30$ である大標本のときには上の Z の代わりに

$$\text{検定統計量}: Z = \frac{\bar{X}_{n_1} - \bar{Y}_{n_2}}{\sqrt{\frac{U_1^2}{n_1} + \frac{U_2^2}{n_2}}} \tag{11.5}$$

としてもかまいません．U_1, U_2 は不偏分散です．さらに，n_1, n_2 が大きいときには U_i は標本分散 $S_i, i = 1, 2$ で十分に近似されると考えて，上式の U_1, U_2 の代わりに S_1, S_2 を使っても OK です．

両側検定では，対立仮説 $H_1 : \mu_1 \neq \mu_2$ であり，有意水準 α に対して
$$P\left(|Z| > z\left(\frac{\alpha}{2}\right)\right) = \alpha$$
となる $z\left(\frac{\alpha}{2}\right)$ を定めます．右片側検定では，対立仮説 $H_2 : \mu_1 > \mu_2$ に対して，
$$P(Z > z(\alpha)) = \alpha$$
となる $z(\alpha)$ を定めます．右片側検定では，対立仮説 $H_2 : \mu_1 < \mu_2$ に対して，
$$P(Z < -z(\alpha)) = \alpha$$
となる $z(\alpha)$ を定めます．棄却域は次です．

---
2 つの正規母集団の母平均の差の検定（母分散既知）の棄却域

両側検定 ： $\left(-\infty, -z\left(\frac{\alpha}{2}\right)\right), \left(z\left(\frac{\alpha}{2}\right), \infty\right)$

右片側検定 ： $(z(\alpha), \infty)$

左片側検定 ： $(-\infty, -z(\alpha))$

11.6.2 母分散未知

母分散の値は未知であるが，2 つの母分散の値が等しいと仮定できる場合のみを考えましょう．$X_1, X_2, \cdots, X_{n_1}$ を正規分布 $N(\mu_1, \sigma^2)$ からの無作為標本，$Y_1, Y_2, \cdots, Y_{n_2}$ を正規母集団 $N(\mu_2, \sigma^2)$ からの無作為標本とします．帰無仮説は $H_0 : \mu_1 = \mu_2$ です．不偏分散をそれぞれ U_X^2, U_Y^2 とします．定理 8.4 より，$\frac{(n_1-1)U_X^2}{\sigma^2}, \frac{(n_2-1)U_Y^2}{\sigma^2}$ はそれぞれ自由度 $n_1 - 1, n_2 - 1$ の χ^2 分布に従います．カイ 2 乗分布の再生性（定理 8.3）から，
$$\frac{(n_1 - 1)U_X^2}{\sigma^2} + \frac{(n_2 - 1)U_Y^2}{\sigma^2} \tag{11.6}$$
は自由度 $n_1 + n_2 - 2$ の χ^2 分布に従います．よって，定理 8.7 より，H_0 のもとで
$$\text{検定統計量}: t = \frac{\bar{X}_{n_1} - \bar{Y}_{n_2}}{\sqrt{\left(\frac{1}{n_1} + \frac{1}{n_2}\right)\frac{(n_1-1)U_X^2 + (n_2-1)U_Y^2}{n_1 + n_2 - 2}}} \tag{11.7}$$
は自由度 $n_1 + n_2 - 2$ の t 分布に従います．

両側検定では，対立仮説 $H_1 : \mu_1 \neq \mu_2$ に対して

$$\mathrm{P}\left(|t| > t_{n_1+n_2-2}\left(\frac{\alpha}{2}\right)\right) = \alpha$$

となる $t_{n_1+n_2-2}\left(\frac{\alpha}{2}\right)$ を定めます．

右片側検定では，対立仮説 $H_2 : \mu_1 > \mu_2$，有意水準 α に対して

$$\mathrm{P}(t > t_{n_1+n_2-2}(\alpha)) = \alpha$$

となる $t_{n_1+n_2-2}(\alpha)$ を定めます．左片側検定も同様に考えます．棄却域は次で与えられます．

---

2 つの正規母集団の母平均の差の検定（母分散未知）の棄却域

両側検定 ： $\left(-\infty, -t_{n_1+n_2-2}\left(\frac{\alpha}{2}\right)\right)$, $\left(t_{n_1+n_2-2}\left(\frac{\alpha}{2}\right), \infty\right)$

右片側検定 ： $(t_{n_1+n_2-2}(\alpha), \infty)$

左片側検定 ： $(-\infty, -t_{n_1+n_2-2}(\alpha))$

例題 11.5（2 つの正規母集団の母平均の差の検定（両側検定：母分散未知））
あるクラスは帰国子女 20 人と帰国子女ではない女子学生 18 人である．帰国子女の微分積分のテストの得点は平均 65 点，標準偏差 15 点．帰国子女ではない女子学生の得点は平均 70 点，標準偏差 12 点であった．平均点の差は有意であるかどうかを有意水準 5％で検定せよ．

解答 一方が特に成績がよいとは考えられないから，両側検定をします．帰無仮説 H_0，対立仮説 H_1 はそれぞれ

$$H_0 : \mu_1 = \mu_2, \; H_1 : \mu_1 \neq \mu_2.$$

帰国子女のデータを $X_1, \cdots, X_{20}$，帰国子女ではない女子学生のデータを $Y_1, \cdots, Y_{18}$ とします．問題より，$n_1 = 20$, $n_2 = 18$, $\bar{x}_{20} = 65$, $\bar{y}_{18} = 70$, $s_X^2 = 15$, $s_Y^2 = 12$ です．不偏分散と標本分散の関係式：$(n_1 - 1) u_X^2 = n_1 s_X^2$,

$(n_2 - 1) u_Y^2 = n_2 s_Y^2$ を使って，

$$\frac{(n_1 - 1) u_X^2 + (n_2 - 1) u_Y^2}{n_1 + n_2 - 2} = \frac{n_1 s_X^2 + n_2 s_Y^2}{n_1 + n_2 - 2}$$

$$= \frac{20 \times 15^2 + 18 \times 12^2}{20 + 18 - 2} = 197.$$

よって検定統計量 t は，

$$t = \frac{65 - 70}{\sqrt{\left(\frac{1}{20} + \frac{1}{18}\right) 197}} = -1.10.$$

自由度は $20 + 18 - 2 = 36$, 有意水準 $\alpha = 0.05$ のとき t 分布表から，$t_{36}\left(\frac{0.05}{2}\right) = 2.03$. したがって，棄却域は $(-\infty, -2.03), (2.03, \infty)$. -1.10 は棄却域に入らないから，帰無仮説 H_0 は採択されます．微分積分のテストの平均点の差は有意とは認められないと判断されます．

では次に，**対応がある場合**と呼ばれるケースを考えます．例題で解説します．

例 11.1 (対応がある場合:2つの正規母集団の母平均の差の検定(母分散未知))
あるダイエット・プログラムに参加した 10 人について，参加前の体重と終了後の体重 (x_i, y_i) を調べたら次の表のようであったとします．

No.	1	2	3	4	5	6	7	8	9	10
x_i	80.0	77.7	68.0	72.0	85.0	94.5	64.0	58.1	68.8	64.6
y_i	81.4	75.0	60.7	64.3	80.0	90.0	61.6	61.0	66.7	63.0

このダイエット・プログラムに参加することは，ダイエットに効果があるといえるかどうかを有意水準 5% で検定する方法を見ていきましょう．

参加前の体重を表す確率変数 $X_1, \cdots, X_{10}$ と終了後の体重を表す確率変数 $Y_1, \cdots, Y_{10}$ の差 $D_i = X_i - Y_i$ $(i = 1, \cdots, 10)$ が正規分布 $N(\mu_d, \sigma_d^2)$ に従うと考えます．こうすると次のデータが得られます．

No.	1	2	3	4	5	6	7	8	9	10
d_i	−1.4	2.7	7.3	7.7	5.0	4.5	2.4	−2.9	2.1	1.6

こうすると「正規母集団の母平均の検定（母分散未知）」が適用できます．ダイエット効果があるというのは，D_i がプラスになるということなので，

右片側検定をします．帰無仮説 H_0，対立仮説 H_1 はそれぞれ

$$H_0 : \mu_d = 0, \quad H_1 : \mu_d > 0.$$

自由度は9で，有意水準は $\alpha = 0.05$ ですから，t 分布表から $t_9(0.05) = 1.833$．したがって，棄却域は $(1.833, \infty)$．標本平均 $\bar{d}_{10}$，不偏分散 u_d^2 は

$$\bar{d}_{10} = \frac{-1.4 + \cdots + 1.6}{10} = 2.9,$$

$$u_d^2 = \frac{1}{9}\{(-1.4 - 2.9)^2 + \cdots + (1.6 - 2.9)^2\} = 11.57.$$

これより，検定統計量 t の値は

$$t = \frac{\bar{d}_n - 0}{\sqrt{u_d^2/n}} = \frac{2.9 - 0}{\sqrt{11.57/10}} = 2.696.$$

この値は棄却域に含まれます．したがって，帰無仮説が棄却され，対立仮説が採択されます．すなわち，このダイエット・プログラムは効果があると判断されます．

---------11章の演習問題---------

11.1 (正規母集団の母平均の検定（母分散未知）) 正規母集団 $N(\mu, \sigma^2)$ から，次の5つの無作為標本を得た．

$$31.4, \; 31.2, \; 32.1, \; 31.3, \; 32.0$$

仮説 $H_0 : \mu = 32$ を対立仮説 $H_1 : \mu < 32$ に対して有意水準 5% で検定せよ．

11.2 (正規母集団の母分散の検定) ある目覚まし時計の直径の分散は，過去のデータから 0.0011 であった．製造機械を更新したので，分散に変化が生じたかどうかを調べるために，無作為に 10 個の目覚まし時計の直径を検査したデータが次である．

$$6.62, \; 6.54, \; 6.61, \; 6.51, \; 6.60, \; 6.49, \; 6.58, \; 6.54, \; 6.58, \; 6.53$$

分散に変化が生じたか？ 有意水準 10% で検定せよ．

11.3 (母比率の検定) ある通信販売ショップの返品率は今まで 2% であった．新たにネット販売に乗り出した．ある月にネットにて販売した商品 400 個を無作為に選び検査したら，14 個の返品があった．返品率に変化があったかどうか？ 有意水準 5% で検定せよ．

11.4 (2つの正規母集団の母平均の差の検定（対応のある場合）) 野球において，打者8人が，あるバッティング理論のトレーニングを一定期間行った．トレーニング前と後の打率（100を掛けて換算した単位）は以下であった．

No.	1	2	3	4	5	6	7	8
前	270	311	230	289	298	301	330	265
後	275	320	250	280	302	311	316	272

トレーニング効果はあったといえるかどうか，有意水準5%で検定せよ．

12 カイ2乗検定

帰無仮説のもとで，検定統計量が χ^2 分布に従う**カイ2乗検定**として，適合度の検定と独立性の検定を学びます．

12.1 適合度の検定

1回の試行の結果が2つ以上生じるとしましょう．この試行を毎回独立に繰り返し，それぞれの結果の頻度を調べることによって，それぞれの確率がある値であると判断してよいかどうかを検定することを**適合度の検定**といいます．まずは，具体例で適合度の検定のイメージをつかんでみましょう．

> **例 12.1** 人間の血液型は4種類で，その構成比率は
> $$q^2 : p^2 + 2pq : r^2 + 2qr : 2pr$$
> であるという．ただし $p + q + r = 1$. 日本人770人の血液型を調べて，
> $$180, \ 360, \ 132, \ 98$$
> という観測度数を得た．日本人の血液型の分布は $p = 0.4, q = 0.4, r = 0.2$ で定まる構成比率をもつ，という仮説を検定せよ．

n 回の独立試行を行い，1回の試行の結果は $A_1, A_2, \cdots, A_k$ の排反事象のいずれかであるとします．帰無仮説を

$$H_0 : A_i \text{の起こる確率} = p_i. \ i = 1, 2, \cdots, k$$

とします．例題では，

$$H_0 : A_1, A_2, A_3, A_4 \text{の起こる確率はそれぞれ}, q^2, p^2 + 2pq, r^2 + 2qr, 2pr$$

です．

　実際に n 回試行したときに A_i の起きた回数（**観測度数**）を x_i としましょう．帰無仮説が正しいならば，A_i の起きる回数の平均（**期待度数**）は np_i であり，x_i と np_i は近い値となります．仮説 H_0 を検定するためには，観測度数 $x_1, x_2, \cdots, x_k$ が期待度数 $np_1, np_2, \cdots, np_k$ から全体としてどの程度以上離れるのが起こりにくいかを考えます．

	A_1	A_2	$\cdots$	A_k
観測度数	x_1	x_2	$\cdots$	x_k
期待度数	np_1	np_2	$\cdots$	np_k

例題で期待度数を計算してみると次です．

$$np_1 = nq^2 = 770 \times 0.4^2 = 123.2,$$
$$np_2 = n(p^2 + 2pq) = 770 \times (0.4^2 + 2 \times 0.4 \times 0.4) = 369.6,$$
$$np_3 = n(r^2 + 2qr) = 770 \times (0.2^2 + 2 \times 0.4 \times 0.2) = 154.0,$$
$$np_4 = n(2pr) = 770 \times (2 \times 0.4 \times 0.2) = 123.2.$$

まとめると次表です．

	A_1	A_2	A_3	A_4
観測度数	180	360	132	98
期待度数	123.2	369.6	154.0	123.2

さて，$X_1, X_2, \cdots, X_k$ の確率分布が，

$$P(X_1 = x_1, X_2 = x_2, \cdots, X_k = x_k) = \frac{n!}{x_1! x_2! \cdots x_k!} p_1^{x_1} p_2^{x_2} \cdots p_k^{x_k}$$

$$x_i \text{ は } x_1 + x_2 + \cdots + x_k = n \text{ をみたす非負整数}$$

によって与えられるとします（これを**多項分布**と呼びます）．このとき，

$$\text{検定統計量：} \chi^2 = \sum_{i=1}^{k} \frac{(X_i - np_i)^2}{np_i} \tag{12.1}$$

は，n が十分大きければ[1]，自由度 $k-1$ の χ^2 分布に従うことが知られています．証明の大筋はこうです．二項分布 $B(n, p)$ は n が大きいとき，正規

---

[1] 観測度数の値 x_i に小さい数がある場合は，カイ2乗分布への近似がよくないので，標本数を増やすか，いくつかのクラスをあわせて1つのクラスにするなどの工夫が必要です．各 i に対して，$x_i \geq 5$ 程度に大きければよいとされています．

分布 $N(np, np(1-p))$ で近似できるように，多項分布も n が大きいとき，$\left(\frac{x_1-np_1}{\sqrt{np_1}}, \frac{x_2-np_2}{\sqrt{np_2}}, \ldots, \frac{x_k-np_k}{\sqrt{np_k}}\right)$ は多次元正規分布で近似できます（証明は略します）．したがって，定理 8.2 より，(12.1) の検定統計量は，自由度 $k-1$ の χ^2 分布に従うことがわかります．次に，有意水準 $\alpha > 0$ に対して，

$$P(\chi^2 \geq \chi^2_{k-1}(\alpha)) = \alpha$$

をみたす $\chi^2_{k-1}(\alpha)$ に対して，棄却域を (χ^2_{k-1}, ∞) と定めます．検定統計量の値が棄却域に入れば，帰無仮説 H_0 を棄却し，観測度数と期待度数の差が大きいと結論します．

例題では，自由度は $4-1=3$，有意水準は $\alpha = 0.05$ ですから，χ^2 分布表より，$\chi^2_3(0.05) = 7.81$．したがって，棄却域は $(7.81, \infty)$ です．検定統計量の値は

$$\chi^2 = \frac{(180-123.2)^2}{123.2} + \frac{(360-369.6)^2}{369.6} + \frac{(132-154)^2}{154} + \frac{(98-123.2)^2}{123.2}$$
$$= 34.73.$$

この値は棄却域に入っているので，帰無仮説 H_0 は棄却されます．よって，日本人の血液型の構成比率は，仮説が与える血液型の構成比率とは異なると判断されます．

例題 12.1 (ポアソン分布の適合度の検定) 次表は，300 日のうちに救急車出動回数が何日あったかというデータである．

出動回数	0	1	2	3	4	5	6 以上	計
日数	38	75	89	54	20	19	5	300 日

(1) 出動回数の平均と分散を求めよ．
(2) 出動回数の分布はポアソン分布に適合しているといえるか？ 有意水準 5％で検定せよ．

12.1 適合度の検定

解答

(1) 出動回数を x, その度数（日数）を f とすると, 平均 $\bar{x}$ と分散 s^2 は

$$\bar{x} = \frac{0 \times 38 + 1 \times \cdots + 6 \times 5}{300} = 2.07,$$

$$s^2 = \frac{0^2 \times 38 + 1^2 \times 75 + \cdots + 6^2 \times 5}{300} - 2.07^2 = 2.04.$$

平均と分散がほぼ等しいので, ポアソン分布かもしれません. ポアソン分布は平均=分散でした.

(2) 帰無仮説 H_0 は,

H_0 : 救急車出動回数 X は平均 $\lambda = 2.07$ のポアソン分布に従う,

となります. 期待度数を計算してみましょう. 平均 λ のポアソン分布の確率質量関数は $P(X = x) = e^{-\lambda} \frac{\lambda^x}{x!}$ ですから, 関数電卓をたたくか, 数値計算ソフトを使って確率を計算すると

$$P(X = 0) = e^{-2.07} \frac{2.07^0}{0!} = 0.13, \ P(X = 1) = e^{-2.07} \frac{2.07^1}{1!} = 0.26,$$

$$P(X = 2) = e^{-2.07} \frac{2.07^2}{2!} = 0.27, \ P(X = 3) = e^{-2.07} \frac{2.07^3}{2!} = 0.19,$$

$$P(X = 4) = e^{-2.07} \frac{2.07^4}{4!} = 0.10, \ P(X = 5) = e^{-2.07} \frac{2.07^5}{5!} = 0.04,$$

$$P(X \geq 6) = 1 - \sum_{x=1}^{5} P(X = x) = 1 - (0.13 + \cdots + 0.04) = 0.01.$$

期待度数 = 300 × 確率 より, それぞれの期待度数を計算すると以下の表が得られます.

出動回数	0	1	2	3	4	5	6以上	計
日数（観測度数）	38	75	89	54	20	19	5	300 日
期待度数	39	78	81	57	30	12	3	300 日

これから, 検定統計量の値は

$$\chi^2 = \frac{(38-39)^2}{39} + \cdots + \frac{(5-3)^2}{3} = 9.83.$$

自由度 6, 有意水準 $\alpha = 0.05$ より, $\chi_6^2(0.05) = 12.59$. よって, 棄却域は $(12.59, \infty)$. 検定統計量の値 9.83 は棄却域に入らないから, 帰無仮説

は棄却できない. したがって, 平均2.07のポアソン分布に適合していると判断されます.

12.2 独立性の検定

まずは, どういう検定であるか? というイメージを具体例からつかんでみましょう.

例 12.2 息子が父親の職業と同じ職業を選ぶかどうかを調べて次の結果を得たとします.

	父				計
	公務員	会社員	教員	自営業	
父と同じ職業	34	27	28	19	108
父と別の職業	166	123	152	81	522
計	200	150	180	100	630

さて, "息子の職業選択"と"親の職業"とは独立であるといえるでしょうか?

この例のように, 2つの分類に関連があるのかどうか? を調べるのが独立性の検定です. 一般化して, 母集団の各要素に対して2つの属性 A, B があるとします. 属性 A は r 個の事象 $A_1, A_2, \cdots, A_r$ に, 属性 B は c 個の事象 $B_1, B_2, \cdots, B_c$ に分割されるとします. この母集団から n 個の無作為標本を抽出したとき,

$$n_{ij} = A_i かつ B_j であるものの標本の個数,$$

$$n_{i\cdot} = \sum_{j=1}^{c} n_{ij}, \quad n_{\cdot j} = \sum_{i=1}^{r} n_{ij},$$

とすると次の表12.1が得られます. これを $r \times c$ **分割表**と呼んでいます. 「属性 A_i をもつことと属性 B_j をもつこと (言い換えれば, A_i の分類と B_j の分類) は独立であるかどうか?」を考えます. 帰無仮説 H_0 と対立仮説 H_1 は次です.

$$H_0 : A と B は独立, \quad H_1 : A と B は独立ではない.$$

考え方は前節の適合度の検定の場合とほぼ同じで, 帰無仮説 H_0 のもとで, 観

表 12.1 $r \times c$ 分割表

	B_1	B_2	$\cdots$	B_c	計
A_1	n_{11}	n_{12}	$\cdots$	n_{1c}	$n_{1\cdot}$
A_2	n_{21}	n_{22}	$\cdots$	n_{2c}	$n_{2\cdot}$
$\vdots$	$\vdots$	$\vdots$	$\vdots$	$\vdots$	$\vdots$
A_r	n_{r1}	n_{r2}	$\cdots$	n_{rc}	$n_{r\cdot}$
計	$n_{\cdot 1}$	$n_{\cdot 2}$	$\cdots$	$n_{\cdot c}$	n

測度数と期待度数との差が大きければ帰無仮説を棄却します．n_{ij}, $n_{i\cdot}$, $n_{\cdot j}$ に対応する確率変数を X_{ij}, $X_{i\cdot}$, $X_{\cdot j}$ とすると，

$$\text{検定統計量}: \chi^2 = \sum_{i=1}^{r} \sum_{j=1}^{c} \frac{\left(X_{ij} - n \cdot \frac{X_{i\cdot}}{n} \cdot \frac{X_{\cdot j}}{n}\right)^2}{n \cdot \frac{X_{i\cdot}}{n} \cdot \frac{X_{\cdot j}}{n}} \tag{12.2}$$

は，n が十分に大きい[2]ときに，自由度 $(r-1)(c-1)$ の χ^2 分布に従うことが知られています（証明は略します）．検定統計量 χ^2 の値は，確率変数 X_{ij}, $X_{i\cdot}$, $X_{\cdot j}$ の実現値として n_{ij}, $n_{i\cdot}$, $n_{\cdot j}$ を代入して整理した

$$\chi^2 = \sum_{i=1}^{r} \sum_{j=1}^{c} \frac{\left(n_{ij} - \frac{n_{i\cdot} \times n_{\cdot j}}{n}\right)^2}{\frac{n_{i\cdot} \times n_{\cdot j}}{n}} \tag{12.3}$$

で与えられます．上式の中の

$$e_{ij} = \frac{n_{i\cdot} \times n_{\cdot j}}{n}$$

は，$A_i \cap B_j$ であるものの期待度数（e_{ij} とします）を表します（図 12.2）．有意水準が α のとき，χ^2 分布表から，

$$P\left(\chi^2 \geq \chi^2_{(r-1)(c-1)}(\alpha)\right) = \alpha$$

となる $\chi^2_{(r-1)(c-1)}(\alpha)$ に対して，棄却域を $(\chi^2_{(r-1)(c-1)}(\alpha), \infty)$ と定めます．

では，例題 12.2 を解いて練習してみましょう．

---

[2] 適合度の検定の場合と同様に，観測度数の値 n_i に小さい数がある場合は，カイ 2 乗分布への近似がよくないので，標本数を増やすか，いくつかのクラスをあわせて 1 つのクラスにするなどの工夫が必要です．各 i に対して，$n_i \geq 5$ 程度に大きければよいとされています．

表 12.2 期待度数表

	B_1	B_2	$\cdots$	B_c	計
A_1	$\frac{n_{1.} \times n_{.1}}{n}$	$\frac{n_{1.} \times n_{.2}}{n}$	$\cdots$	$\frac{n_{1.} \times n_{.c}}{n}$	$n_{1.}$
A_2	$\frac{n_{2.} \times n_{.1}}{n}$	$\frac{n_{2.} \times n_{.2}}{n}$	$\cdots$	$\frac{n_{2.} \times n_{.c}}{n}$	$n_{2.}$
$\vdots$	$\vdots$	$\vdots$		$\vdots$	$\vdots$
A_r	$\frac{n_{r.} \times n_{.1}}{n}$	$\frac{n_{r.} \times n_{.2}}{n}$	$\cdots$	$\frac{n_{r.} \times n_{.c}}{n}$	$n_{r.}$
計	$n_{.1}$	$n_{.2}$	$\cdots$	$n_{.c}$	n

例題 12.2 (独立性の検定) 例 12.2 を有意水準 5% で検定せよ．

解答 期待度数を分割表から計算すると

$$e_{11} = \tfrac{200 \times 108}{630} = 34.3, \quad e_{12} = \frac{150 \times 108}{630} = 25.7,$$

$$e_{13} = \tfrac{180 \times 108}{630} = 30.9, \quad e_{14} = \frac{100 \times 108}{630} = 17.1,$$

$$e_{21} = \tfrac{200 \times 522}{630} = 165.7, \quad e_{22} = \frac{150 \times 522}{630} = 124.3,$$

$$e_{23} = \tfrac{180 \times 522}{630} = 149.1, \quad e_{24} = \frac{100 \times 522}{630} = 82.9.$$

期待度数表としてまとめると次のようになります．

	公務員	会社員	教員	自営業
父と同じ職業	34.3	25.7	30.9	17.1
父と別の職業	165.7	124.3	149.1	82.9

これより，検定統計量は

$$\chi^2 = \frac{(34-34.3)^2}{34.3} + \frac{(27-25.7)^2}{25.7} + \cdots + \frac{(81-82.9)^2}{82.9} = 0.64.$$

$r=2, c=4$ ですから，自由度は $(2-1)(4-1)=3$．有意水準 $\alpha = 0.05$ に対して，$\chi_3^2(0.05) = 7.815$ ですから，棄却域は $(7.815, \infty)$ です．検定統計量の値は棄却域に入らないので，帰無仮説 H_0 は棄却されません．したがって，息子の職業選択と親の職業は独立であると判断されます．

12章の演習問題

12.1 (適合度の検定 (離散型一様分布)) サイコロを60回投げ，出た目のデータが次の表である．このサイコロに偏りがあるか？ 有意水準5%で検定せよ．

サイコロの目	1	2	3	4	5	6	計
観測度数	16	7	5	10	5	17	60

12.2 (独立性の検定) 次の表は，ある大統領候補に対する男女別支持・不支持のデータである．男女の別とこの大統領候補に対する支持・不支持は独立か？ 有意水準1%で検定せよ．

	支持する	支持しない	計
男性	122	75	197
女性	169	44	213
計	291	119	410

演習問題の解答

1 章の演習解答

1.1 平均, 分散はそれぞれ
$$\bar{x} = \frac{1+2+\cdots+10}{10} = 5.5.$$
$$s^2 = \frac{1^2+2^2+\cdots+10^2}{10} - 5.5^2 = 38.5 - 30.25 = 8.25.$$
したがって, 標準偏差は $s = \sqrt{8.25} = 2.87228\cdots$.

1.2 a, b, c, d の度数はそれぞれ $3, 5, 5, 7$. よって, モードは d. 小さい方から $10, 11$ 番目のデータはいずれも c なので, メジアンは c.

1.3 平均 $= \frac{a+5+b+13}{4} = 7$ より, $a+b = 10$. メジアン $= \frac{5+b}{2} = 6$ より, $b = 7$. したがって, $a = 3, b = 7$. データは, $3, 5, 7, 13$ である. よって分散は
$$\text{分散} = \frac{3^2+5^2+7^2+13^2}{4} - 7^2 = 14.$$

1.4 「度数分布表から簡便的に標本平均, 標本分散を求める手順 (その 2)」によって求める. 仮の平均を $x_0 = 155$ とする. 階級の幅は $c = 10$.
$$u_i = \frac{x_i - 155}{10}$$
とおき, 度数分布表より計算すると下の表を得る.

階級	階級値 x_i	度数 f_i	u_i	$u_i f_i$	$u_i^2 f_i$
$120 \sim 130$	125	1	-3	-3	9
$130 \sim 140$	135	5	-2	-10	20
$140 \sim 150$	145	18	-1	-18	18
$150 \sim 160$	155	21	0	0	0
$160 \sim 170$	165	13	1	13	13
$170 \sim 180$	175	2	2	4	8
計	—	60	—	-14	68
平均	—	—	—	-0.23	1.1333

したがって，

$$\text{標本平均}: \bar{x} = 155 + 10 \times (-0.23) = 152.7,$$
$$\text{標本分散}: s^2 = 10^2(1.1333 - (-0.23)^2) = 108.04.$$

2章の演習解答

2.1 すべての目の出方は36通り．出た目の積が出た目の和以上になる出方は，以下の表で○印がついている場合だから，25通り．よって求める確率は $\frac{25}{36}$．

	1	2	3	4	5	6
1						
2		○	○	○	○	○
3		○	○	○	○	○
4		○	○	○	○	○
5		○	○	○	○	○
6		○	○	○	○	○

2.2

(1) Aさんへの13枚のカードの配り方のすべての場合の数は，${}_{52}C_{13}$．ハートのカード以外が配られる場合の数は，${}_{39}C_{13}$通り．したがって，求める確率は

$$\frac{{}_{39}C_{13}}{{}_{52}C_{13}} = \frac{\frac{39!}{13!26!}}{\frac{52!}{13!39!}} \approx 0.01279.$$

(2) Aさんにエース4枚とエース以外の9枚が配られる場合の数は，${}_4C_4 \times {}_{48}C_9$ 通り．したがって，求める確率は

$$\frac{{}_4C_4 \cdot {}_{48}C_9}{{}_{52}C_{13}} = \frac{\frac{48!}{9!39!}}{\frac{52!}{13!39!}} \approx 0.0026.$$

2.3

(1) 1桁目は，1, 2, 3の3通り，2桁目は0, 1, 2, 3の4通り，3桁目も0, 1, 2, 3の4通りだから，$3 \times 4 \times 4 = 48$ 通り．

(2) sが3つ，tが3つ，iが2つ，aが1つ，cが1つの同じものを含む順列だから，その総数は，$\frac{10!}{3!3!2!} = 50400$ 通り．

2.4

(1) 10個の○と3個の | の順列を考える．3個の | で分けられた4つの部分は，箱に対応し，○は赤玉に対応する．求める分け方は，10個の○と3個の | の同じものを含む順列の総数と同じであるから

$$\frac{13!}{10!3!} = 286 \text{ 通り}.$$

（別解）4箱に入れる個数を，x, y, z, w とすると，求める場合の数は，$x+y+z+w=10$ の非負整数解 $(x \geq 0, y \geq 0, z \geq 0, w \geq 0)$ の個数に等しくなる．したがって，x, y, z, w の4文字に，重複を許して10個を取り出す重複組み合わせの数に等しくなる．よって

$$_4H_{10} = {}_{4+10-1}C_{10} = {}_{13}C_{10} = {}_{13}C_3 = \frac{13 \cdot 12 \cdot 11}{3 \cdot 2 \cdot 1} = 286 \text{ 通り}.$$

(2) 赤玉の分け方は6個の○と3個の | を1列に並べる同じものを含む順列の総数に等しい．白玉の分け方は4個の△と3個の | を1列に並べる同じものを含む順列の総数に等しい．赤玉の分け方のそれぞれに白玉の分け方が対応するから，

$$\frac{9!}{6!3!} \times \frac{7!}{4!3!} = 2940 \text{ 通り}.$$

（別解）

$$_4H_6 \times {}_4H_4 = {}_9C_6 \times {}_7C_4 = 2940 \text{ 通り}.$$

2.5 $(1+x)^n = 1 + \sum_{r=1}^n {}_nC_r x^r$ の両辺を x で微分すると，

$$n(1+x)^{n-1} = \sum_{r=1}^n r\, {}_nC_r x^{r-1}.$$

$x=1$ を代入すると，${}_nC_1 + 2\,{}_nC_2 + \cdots + r\,{}_nC_r + \cdots + n\,{}_nC_n = 2^{n-1}n.$

3章の演習解答

3.1 $\Omega = \{\{H\}, \{T\}\}$. $\mathcal{F} = \{\emptyset, \{H\}, \{T\}, \Omega\}$. すべての $A \in \mathcal{F}$ に対して，$P(A) = \frac{\#A}{2}$.

3.2 夫が和食を注文する確率を $P(A)$，妻が和食を注文する確率を $P(B)$ とする．

(1) 問題より $P(A) = 0.5, P(B|A) = 0.9$. よって，$P(A \cap B) = P(A)P(B|A) = 0.5 \times 0.9 = 0.45$.

(2) $P(A \cup B) = P(A) + P(B) - P(A \cap B) = 0.5 + 0.6 - 0.45 = 0.65$.

(3) $P(A|B) = \frac{P(A \cap B)}{P(B)} = \frac{0.45}{0.6} = 0.75$.

3.3 i を1回目の目の数, j を2回目の目の数とすると, $\Omega = \{(i,j) : i, j = 1, 2, \cdots, 6\}$.
$$A = \{(2,1), (2,2), (2,3), (2,4), (2,5), (2,6)\}$$
$B = \{(1,5), (2,5), (3,5), (4,5), (5,5), (6,5), (1,6), (2,6), (3,6), (4,6), (5,6), (6,6)\}$
だから $A \cap B = \{(2,5), (2,6)\}$. したがって, $\mathrm{P}(A) = \frac{\#A}{\#\Omega} = \frac{6}{36} = \frac{1}{6}$. $\mathrm{P}(B) = \frac{\#B}{\#\Omega} = \frac{12}{36} = \frac{1}{3}$. $\mathrm{P}(A \cap B) = \frac{\#A \cap B}{\#\Omega} = \frac{2}{36} = \frac{1}{18}$. $\mathrm{P}(A)\mathrm{P}(B) = \frac{1}{18}$. よって, $\mathrm{P}(A \cap B) = \mathrm{P}(A)\mathrm{P}(B)$ が成り立つので, A, B は独立.

3.4
$$0.5 = \mathrm{P}(C|A) = \frac{\mathrm{P}(C \cap A)}{\mathrm{P}(A)} = \frac{\mathrm{P}(C \cap A)}{0.1}$$
より, $\mathrm{P}(C \cap A) = 0.05$.
$$0.7 = \mathrm{P}(C|B) = \frac{\mathrm{P}(C \cap B)}{\mathrm{P}(B)} = \frac{\mathrm{P}(C \cap B)}{0.9}$$
より, $\mathrm{P}(C \cap B) = 0.63$. A, B が排反のとき, $C \cap A, C \cap B$ も排反だから
$$\mathrm{P}(C) = \mathrm{P}((C \cap A) \cup (C \cap B)) = \mathrm{P}(C \cap A) + \mathrm{P}(C \cap B) = 0.05 + 0.63 = 0.68.$$
したがって, $\mathrm{P}(A|C) = \frac{\mathrm{P}(C \cap A)}{\mathrm{P}(C)} = \frac{0.05}{0.68} \approx 0.0735$.

3.5 工場 A, B, C で生産しているという事象を A, B, C とし, 不良品である事象を E とする. 問題文より, $\mathrm{P}(A) = 0.1$, $\mathrm{P}(B) = 0.3$, $\mathrm{P}(C) = 0.6$, $\mathrm{P}(E|A) = 0.03$, $\mathrm{P}(E|B) = 0.02$, $\mathrm{P}(E|C) = 0.01$. 求める確率は $\mathrm{P}(A|E)$. ベイズの定理より,
$$\mathrm{P}(A|E) = \frac{\mathrm{P}(A)\mathrm{P}(E|A)}{\mathrm{P}(A)\mathrm{P}(E|A) + \mathrm{P}(B)\mathrm{P}(E|B) + \mathrm{P}(C)\mathrm{P}(E|C)}$$
$$= \frac{0.1 \times 0.03}{0.1 \times 0.03 + 0.3 \times 0.02 + 0.6 \times 0.01} = 0.2.$$

4章の演習解答

4.1

(1) $\int_{-\infty}^{\infty} f(x)\,dx = 1$ より, $\int_0^2 ax(2-x)\,dx = a\left[x^2 - \frac{x^3}{3}\right]_0^2 = 1$. したがって, $a = \frac{3}{4}$.

(2) $\mathrm{P}(0 \leq X \leq 1) = \int_0^1 f(x)\,dx = \frac{3}{4}\int_0^1 x(2-x)\,dx = \frac{3}{4}\left[x^2 - \frac{x^3}{3}\right]_0^1 = \frac{1}{2}$

(3) $\mathrm{P}(X < 0) = 0$ より, $x < 0$ では $F(x) = 0$. $\mathrm{P}(X > 2) = 1$ より, $x > 2$ では $F(x) = 1$. $0 \leq x \leq 2$ では, $F(x) = \int_0^x \frac{3}{4}x(2-x)\,dx = \frac{3}{4}\left(x^2 - \frac{x^3}{3}\right)$. よって,
$$F(x) = \begin{cases} 0, & x < 0, \\ \frac{3}{4}\left(x^2 - \frac{x^3}{3}\right), & 0 \leq x \leq 2, \\ 1, & x > 2. \end{cases}$$

4.2 $\mu = E[X]$ とする．
$$V[aX+b] = \int_{-\infty}^{\infty} \{(ax+b)-(a\mu+b)\}^2 f(x)\,dx$$
$$= a^2 \int_{-\infty}^{\infty} (x-\mu)^2 f(x)\,dx = a^2 V[X].$$

4.3 確率の和$=1$ より，$p+2p^2+p^2+p = 3p^2+2p = 1$．したがって，$(3p-1)(p+1) = 0$．$p \geq 0$ より，$p = \frac{1}{3}$．これより，
$$E[X] = 1 \times 2p^2 + 2 \times p^2 + 3 \times p = 4p^2 + 3p = \frac{13}{9}.$$
$$E[X^2] = 1 \times 2p^2 + 2^2 \times p^2 + 3^2 \times p = 6p^2 + 9p = \frac{6}{9} + 3 = \frac{11}{3}.$$
したがって，
$$V[X] = E[X^2] - \{E[X]\}^2 = \frac{8}{11} - \left(\frac{13}{9}\right)^2 = \frac{128}{81}.$$

4.4 例題 4.3 より，$E[X] = \frac{1}{2}$．したがって，
$$V[X] = \int_{-\infty}^{\infty} \left(x - \frac{1}{2}\right)^2 f(x)\,dx = \int_0^1 \left(x^2 - x + \frac{1}{4}\right) \times 1\,dx$$
$$= \left[\frac{x^3}{3} - \frac{x^2}{2} + \frac{1}{4}x\right]_0^1 = \frac{1}{12}.$$

4.5 $M_X'(t) = (12+16t)e^{12t+8t^2}$．これより，$E[X] = M_X'(0) = 12$．$M_X''(t) = 16e^{12t+8t^2} + (12+16t)^2 e^{12t+8t^2}$．したがって，$E[X^2] = M_X''(0) = 16 + 12^2 = 160$．これより，$V[X] = E[X^2] - \{E[X]\}^2 = 160 - 12^2 = 16$．

5 章の演習解答

5.1
$$E[X] = \sum_{r=0}^{n} r \,_n C_r p^r (1-p)^{n-r} = \sum_{r=1}^{n} r \,_n C_r p^r (1-p)^{n-r}$$
$$= \sum_{r=1}^{n} n \,_{n-1}C_{r-1} p^r (1-p)^{n-r} = np \sum_{r=1}^{n} \,_{n-1}C_{r-1} p^{r-1} (1-p)^{n-r}$$
$$= np.$$

最後の等号では二項定理：$\sum_{r=1}^{n} {}_{n-1}C_{r-1}p^{r-1}(1-p)^{n-r} = (p+1-p)^{n-1} = 1$ を使っている．

$$E[X^2] = \sum_{r=0}^{n} r^2 {}_nC_r p^r (1-p)^{n-r} = \sum_{r=0}^{n} \{r(r-1)+r\} {}_nC_r p^r (1-p)^{n-r}$$

$$= \sum_{r=2}^{n} n(n-1) {}_{n-2}C_{r-2} p^r (1-p)^{n-r} + \sum_{r=1}^{n} r {}_nC_r p^r (1-p)^{n-r}$$

$$= n(n-1)p^2 \sum_{r=2}^{n} {}_{n-2}C_{r-2} p^{r-2} (1-p)^{n-r} + E[X]$$

$$= n(n-1)p^2 + np$$

4番目の等号では二項定理：$\sum_{r=2}^{n} {}_{n-2}C_{r-2} p^{r-2}(1-p)^{n-r} = (p+1-p)^{n-2} = 1$ を使っている．これより，$V[X] = E[X^2] - \{E[X]\}^2 = n(n-1)p^2 + np - n^2p^2 = np(1-p)$．

5.2 250個中の不良品の個数を X とすると，X は二項分布 $B(250, 0.008)$ に従う．$250 \times 0.008 = 2 \leq 5$ であるから，$\lambda = 2$ のポアソン分布

$$P(X=r) = \frac{2^r e^{-2}}{r!}, \ r = 0, 1, 2, \cdots$$

で近似できる．したがって，求める確率は

$$P(X \geq 3) = 1 - P(X=0) - P(X=1) - P(X=2)$$
$$= 1 - e^{-2} - 2e^{-2} - 2e^{-2} = 1 - 5e^{-2} \approx 0.32.$$

5.3
$$E[X] = \int_{-\infty}^{\infty} x \frac{1}{\sqrt{2\pi\sigma^2}} e^{-\frac{(x-\mu)^2}{2\sigma^2}} dx.$$

ここで，$z = \frac{(x-\mu)}{\sigma}$ と変数変換すれば，

$$E[X] = \sigma \int_{-\infty}^{\infty} z \frac{1}{\sqrt{2\pi}} e^{-\frac{z^2}{2}} dz + \mu \int_{-\infty}^{\infty} \frac{1}{\sqrt{2\pi}} e^{-\frac{z^2}{2}} dz.$$

右辺第1項の積分は $N(0,1)$ の期待値に等しいから，0．右辺第2項の積分は $N(0,1)$ の密度関数の性質から，1に等しい．したがって，$E[X] = \mu$．また，

$$V[X^2] = \int_{-\infty}^{\infty} (x-\mu)^2 \frac{1}{\sqrt{2\pi\sigma^2}} e^{-\frac{(x-\mu)^2}{2\sigma^2}} dx.$$

ふたたび，$z = \frac{(x-\mu)}{\sigma}$ と変数変換すれば，

$$V[X] = \sigma^2 \int_{-\infty}^{\infty} z^2 \frac{1}{\sqrt{2\pi}} e^{-\frac{z^2}{2}} dz.$$

右辺の積分は，$N(0,1)$ に従う確率変数 Z に対する $E[Z^2]$ に等しい．ところで，$V[Z] = E[Z^2] - \{E[Z]\}^2$ から，$1 = E[Z^2] - 0^2$．すなわち，$E[Z^2] = 1$．したがって，$V[X] = \sigma^2$．

5.4 $Z = \frac{X-10}{2}$ は標準正規分布 $N(0,1)$ に従う．

(1) $P(X > 11) = 1 - P(X \leq 11) = 1 - P\left(Z \leq \frac{11-10}{2}\right) = 1 - P(Z \leq 0.5) = 1 - 0.5 - I(0.5) = 0.5 - 0.1915 = 0.3085$．

(2) $P(9 < X < 11) = P\left(\frac{9-10}{2} < Z < \frac{11-10}{2}\right) = P(-0.5 < Z < 0.5) = 2I(0.5) = 2 \times 0.1915 = 0.3830$．

(3) $P(X < c) = P\left(Z < \frac{c-10}{2}\right) = 0.5 + I\left(\frac{c-10}{2}\right) = 0.85$ より，$I\left(\frac{c-10}{2}\right) = 0.35$ を超えない最も近い c の値を探して，$I\left(\frac{c-10}{2}\right) = 0.3485$．正規分布表より，$I(1.03) = 0.3485$ だから，$\frac{c-10}{2} = 1.03$．したがって，$c = 12.06$．

5.5 部分積分の公式：$\int_\alpha^\beta f(x)g'(x)\,dx = [f(x)g(x)]_\alpha^\beta - \int_\alpha^\beta f'(x)g(x)\,dx$ （$E[X]$ の計算中では $f(x) = x, g(x) = -e^{-\lambda x}$）と $\lim_{x\to\infty} xe^{-\lambda x} = 0$ を使う．

$$E[X] = \int_0^\infty x\lambda e^{-\lambda x}\,dx = \int_0^\infty x(-e^{-\lambda x})'\,dx$$

$$= \left[x(-e^{-\lambda x})\right]_0^\infty - \int_0^\infty -e^{-\lambda x}\,dx = 0 + \left[-\frac{e^{-\lambda x}}{\lambda}\right]_0^\infty = \frac{1}{\lambda}.$$

$$E[X^2] = \int_0^\infty x^2 \lambda e^{-\lambda x}\,dx = \left[x^2(-e^{-\lambda x})\right]_0^\infty - 2\int_0^\infty x(-e^{-\lambda x})\,dx$$

$$= 0 + \frac{2}{\lambda}E[X] = \frac{2}{\lambda^2}.$$

したがって，$V[X] = E[X^2] - \{E[X]\}^2 = \frac{1}{\lambda^2}$．

6 章の演習解答

6.1 たとえば，$P(X = 0) = \frac{2}{5}$，$P(Y = 1) = \frac{2}{5}$，$P(X = 0, Y = 1) = \frac{3}{20}$ であるから，$P(X = 0, Y = 1) \neq P(X = 0)P(Y = 1)$．したがって，独立ではない．

6.2

(1) $\int_0^1 \int_0^1 cx^2(y - y^2)\,dy\,dx = 1$ より，$c\int_0^1 x^2 \left[\frac{y^2}{2} - \frac{y^3}{3}\right]_0^1 dx = c\int_0^1 x^2 \frac{1}{6}\,dx = \frac{c}{6}\left[\frac{x^3}{3}\right]_0^1 = \frac{c}{18} = 1$．したがって，$c = 18$．

(2) $f_X(x) = \int_0^1 18x^2(y - y^2)\,dy = 18x^2 \left[\frac{y^2}{2} - \frac{y^3}{3}\right]_0^1 = 3x^2, 0 < x < 1$．

$f_Y(y) = \int_0^1 18x^2(y - y^2)\,dx = 18(y - y^2)\left[\frac{x^3}{3}\right]_0^1 = 6(y - y^2), 0 < y < 1$．

(3) $f(x,y) = f_X(x) f_Y(y)$ だから，独立．

6.3 (i) 独立な確率変数 X, Y と実数 a, b に対して

$$E[aX + bY] = \sum_{i=1}^{M} \sum_{j=1}^{N} (ax_i + by_j) p_{ij} = \sum_{i=1}^{M} \sum_{j=1}^{N} (ax_i + by_j) p_i q_j$$

$$= a \sum_{i=1}^{M} x_i p_i + b \sum_{j=1}^{N} y_j q_j = aE[X] + bE[Y].$$

(ii) $\mu_X = E[X]$, $\mu_Y = E[Y]$ とおく．分散の定義から

$$V[aX + bY] = \sum_{i=1}^{M} \sum_{j=1}^{N} \{ax_i + by_j - (a\mu_X + b\mu_Y)\}^2 p_{ij}$$

被積分項の $\{a(x_i - \mu_X) + b(y_j - \mu_Y)\}^2$ を展開して，$p_{ij} = p_i q_j$ より

$$V[aX + bY] = \sum_{i=1}^{M} \sum_{j=1}^{N} \{a^2 (x_i - \mu_X)^2 + 2ab(x_i - \mu_X)(y_j - \mu_Y)$$

$$+ b^2 (y_j - \mu_Y)^2\} p_i q_j$$

$$= a^2 \sum_{i=1}^{M} (x_i - \mu_X)^2 p_i \sum_{j=1}^{N} q_j$$

$$+ 2ab \sum_{i=1}^{M} (x_i - \mu_X) p_i \sum_{j=1}^{N} (y_j - \mu_Y) q_j$$

$$+ b^2 \sum_{j=1}^{N} (y_j - \mu_Y)^2 q_j \sum_{i=1}^{M} p_i.$$

ここで，$\sum_{i=1}^{M} p_i = 1$, $\sum_{j=1}^{N} q_j = 1$ であり，$\sum_{i=1}^{M} (x_i - \mu_X) p_i = E[X] - \mu_X = 0$, $\sum_{j=1}^{M} (y_j - \mu_Y) q_j = E[Y] - \mu_Y = 0$．これらを上式に代入すると，

$$V[aX + bY] = a^2 \sum_{i=1}^{M} (x_i - \mu_X)^2 p_i + b^2 \sum_{j=1}^{M} (y_j - \mu_Y)^2 q_j = a^2 V[X] + b^2 V[Y].$$

6.4 パラメータ λ のポアソン分布の積率母関数は，$e^{\lambda(e^t - 1)}$．X_1, X_2, X_3 は独立だから，$M_Y(t) = M_{X_1}(t) M_{X_2}(t) M_{X_3}(t) = e^{(e^t - 1)} e^{2(e^t - 1)} e^{3(e^t - 1)} = e^{6(e^t - 1)}$．

6.5 $E[X] = 1, E[Y] = 2$．したがって，

$$V[X] = 0^2 \times \frac{2}{5} + 1^2 \times \frac{1}{5} + 2^2 \times \frac{2}{5} - 1^2 = \frac{4}{5}.$$

$$V[Y] = 1^2 \times \frac{2}{5} + 2^2 \times \frac{1}{5} + 3^2 \times \frac{2}{5} - 2^2 = \frac{3}{20}.$$

また，
$$E[XY] = 1\times 1\times \frac{1}{10} + 1\times 3\times \frac{1}{10} + 2\times 1\times \frac{3}{20} + 2\times 2\times \frac{1}{10} + 2\times 3\times \frac{3}{20} = 2.$$
したがって，$Cov(X,Y) = E[XY] - E[X]E[Y] = 2 - 1\times 2 = 0$. よって，相関係数も 0.

7 章の演習解答

7.1 X の確率質量関数を $p(k) = \mathrm{P}(X=k)$, $k=1,2,\cdots$ として，連続型の場合と同様にすると

$$\sigma^2 = \sum_{k=1}^{\infty}(k-\mu)^2 p(k) \geq \sum_{k=1}^{[\mu-\alpha]}(k-\mu)^2 p(k) + \sum_{k=[\mu+\alpha]+1}^{\infty}(k-\mu)^2 p(k)$$

$$\geq \alpha^2 \sum_{k=1}^{[\mu-\alpha]} p(k) + \alpha^2 \sum_{k=[\mu+\alpha]+1}^{\infty} p(k) = \alpha^2 \mathrm{P}(|X-\mu| \geq \alpha).$$

ここで，$[x]$ は x を超えない最大の整数を表す．両辺を α^2 で割れば，(7.1) を得る．

7.2 (1) 1 桁の乱数の分布は離散型一様分布であり，取り出した乱数を X とすると，その確率分布表は以下で与えられる．

x	0	1	2	3	4	5	6	7	8	9	計
$\mathrm{P}(X=x)$	$\frac{1}{10}$	$\frac{1}{10}$	$\frac{1}{10}$	$\frac{1}{10}$	$\frac{1}{10}$	$\frac{1}{10}$	$\frac{1}{10}$	$\frac{1}{10}$	$\frac{1}{10}$	$\frac{1}{10}$	1

したがって，平均と分散はそれぞれ
$$E[X] = (0+1+\cdots+10)\times \frac{1}{10} = 4.5,$$
$$V[X] = E[X^2] - 4.5^2 = (0^2+1^2+\cdots+10^2)\times \frac{1}{10} - 4.5^2 = 8.25.$$

(2) 50 個の乱数は，平均 4.5, 分散 8.25 をもつ独立同一確率変数列とみなされるから，50 個の平均を $\bar{X}_{50}$ とすれば，
$$E[\bar{X}_{50}] = 4.5, \ V[\bar{X}_{50}] = \frac{8.25}{50} = 0.165.$$

中心極限定理より，$\bar{X}_{50} \sim N(4.5, 0.165)$. $Z = \frac{\bar{X}_{50}-4.5}{\sqrt{0.165}}$ と正規化すると，$Z \sim N(0,1)$. したがって，

$$\mathrm{P}(4 \leq \bar{X}_{50} \leq 5) \approx \mathrm{P}\left(\frac{4-4.5}{\sqrt{0.165}} \leq Z \leq \frac{5-4.5}{\sqrt{0.165}}\right)$$

$$\approx \mathrm{P}(-1.23 \leq Z \leq 1.231) = 2I(1.23)$$

$$\approx 2\times 0.3907 \quad (\text{巻末の表より})$$

$$= 0.7814.$$

7.3 (1) サイコロを 50 回投げて 1 の目の出る回数を確率変数 S_{50} とすれば，S_{50} は二項分布 $B\left(50, \frac{1}{6}\right)$ に従う．したがって，

$$P(6 \leq S_{50} \leq 10) = \sum_{k=6}^{10} {}_{50}C_k \left(\frac{1}{6}\right)^k \left(\frac{5}{6}\right)^{50-k}$$

$$= 0.112 + 0.140 + 0.151 + 0.141 + 0.116 = 0.66$$

(2) $Z_{50} = \dfrac{S_{50} - \frac{50}{6}}{\sqrt{50 \times \frac{1}{6} \times \frac{5}{6}}}$ とすると，Z_{50} は標準正規分布 $N(0,1)$ に従う．したがって，

$$P(6 \leq S_{50} \leq 10) = P(5.5 \leq S_{50} \leq 10.5) \quad (半整数補正)$$

$$= P\left(\frac{5.5 - \frac{50}{6}}{\sqrt{50 \times \frac{1}{6} \times \frac{5}{6}}} \leq Z_{50} \leq \frac{10.5 - \frac{50}{6}}{\sqrt{50 \times \frac{1}{6} \times \frac{5}{6}}}\right)$$

$$= P(-1.07 \leq Z_{50} \leq 0.82)$$

$$= I(1.07) + I(0.82) = 0.3577 + 0.2939 \approx 0.65.$$

8 章の演習解答

8.1 X の積率母関数 $M_X(t)$ は $M_X(t) = e^{\mu t + \frac{\sigma^2 t^2}{2}}$．$Y = aX + b$ の積率母関数 $M_Y(t)$ を計算すると，

$$M_Y(t) = E[e^{t(aX+b)}] = E[e^{atX}]E[e^{bt}] = e^{\mu at + \frac{\sigma^2(at)^2}{2}} e^{bt} = e^{(a\mu+b)t + \frac{(a\sigma)^2 t^2}{2}}$$

これは Y が $N(a\mu + b, a^2\sigma^2)$ に従っていることを示している．

8.2 定理 8.1 より，$E[\bar{X}_5] = 0, V[\bar{X}_5] = \frac{1}{5}$．

8.3 自由度 n の χ^2 分布の積率母関数は $M_{\chi^2}(t) = (1-2t)^{-\frac{n}{2}}$．これより

$$M'_{\chi^2}(t) = -\frac{n}{2}(1-2t)^{-\frac{n}{2}-1}(-2) = n(1-2t)^{-\frac{n}{2}-1},$$

$$M''_{\chi^2}(t) = \left(-\frac{n}{2}-1\right)n(1-2t)^{-\frac{n}{2}-2}(-2) = (n+2)n(1-2t)^{-\frac{n}{2}-2}.$$

したがって，

$$E(\chi^2) = M'_{\chi^2}(0) = n, \ V(\chi^2) = M''_{\chi^2}(0) - (M'_{\chi^2}(0))^2 = (n+2)n - n^2 = 2n.$$

8.4 $P(0 \leq Z \leq x) = P(-\sqrt{x} \leq X \leq \sqrt{x}) = \int_{-\sqrt{x}}^{\sqrt{x}} f(t)\,dt$．したがって

$$g(x) = \frac{d}{dx}P(0 \leq Z \leq x) = \frac{f(\sqrt{x})}{2\sqrt{x}} + \frac{f(-\sqrt{x})}{2\sqrt{x}}.$$

8.5 $\Gamma(1) = 1, \Gamma\left(\frac{1}{2}\right) = \sqrt{\pi}$ より，$f_1(t) = \pi^{-1}(1+t^2)^{-1}$．したがって，

$$\int_{-\infty}^{\infty} \frac{1}{\pi(1+t^2)}\,dt = \int_{-\pi/2}^{\pi/2} \frac{1}{\pi(1+\tan^2 x)}\frac{dx}{\cos^2 x} = \int_{-\pi/2}^{\pi/2} \frac{1}{\pi}\,dx = 1.$$

9 章の演習解答

9.1 母平均の不偏推定量は標本平均 $\bar{x}_{10}$ だから,
$$\bar{x}_{10} = \frac{1+5+13+8+3+9+2+10+5+4}{10} = 6.$$
母分散の不偏推定量は不偏分散 u^2 だから,
$$u^2 = \frac{1}{9}\{(1-6)^2 + (5-6)^2 + \cdots + (4-6)^2\} = \frac{134}{9}.$$

9.2 X_1, X_2 は無作為標本だから, $E[X_1] = E[X_2] = \mu$, $V[X_1] = V[X_2] = \sigma^2$. $\alpha X_1 + \beta X_2$ が μ の不偏推定量であるためには,
$$E[\alpha X_1 + \beta X_2] = \alpha\mu + \beta\mu = \mu.$$
したがって, $\alpha + \beta = 1$. 分散を最小にする α, β は
$$V[\alpha X_1 + \beta X_2] = \alpha^2\sigma^2 + \beta^2\sigma^2 = (\alpha^2 + \beta^2)\sigma^2$$
より, $\alpha^2 + \beta^2$ を最小にする $\hat{\alpha}, \hat{\beta}$ を求めればよい. $\alpha + \beta = 1$ を使って,
$$\alpha^2 + \beta^2 = \alpha^2 + (1-\alpha)^2 = 2\alpha^2 - 2\alpha + 1 = 2\left(\alpha - \frac{1}{2}\right)^2 + \frac{1}{2}$$
より, $\hat{\alpha} = \frac{1}{2}$. よって, $\hat{\beta} = \frac{1}{2}$. これは標本平均 $\frac{X_1+X_2}{2}$ が不偏かつ有効な推定量であることを意味している.

9.3 尤度関数 $L(\lambda)$ は
$$L(\lambda) = \prod_{i=1}^{5} \lambda e^{-\lambda x_i} = \lambda e^{-\lambda x_1} \times \cdots \times \lambda e^{-\lambda x_5} = \lambda^5 e^{-\lambda \sum_{i=1}^{5} x_i}.$$
両辺に自然対数をとって, $\log L(\lambda) = 5\log\lambda - \lambda\sum_{i=1}^{5} x_i$. $\frac{d}{d\lambda}\log L(\lambda) = 0$ を解くと,
$$\hat{\lambda} = \frac{1}{\frac{\sum_{i=1}^{5} x_i}{5}} = \frac{1}{\bar{x}_5}.$$
したがって, λ の最尤推定量は $\frac{1}{\bar{x}_5}$ (標本平均の逆数) であり, その推定値は $\bar{x}_5 = 6.36$ より, $\hat{\lambda} = \frac{1}{6.36} \approx 0.1572$.

10 章の演習解答

10.1 (1) バットの重さの平均を μ とする. 問題文より $n = 20$, $\bar{x}_{20} = 8.12$, $\sigma = 0.36$ だから, 信頼度 95% の信頼区間は
$$8.12 - 1.96 \times \frac{0.36}{\sqrt{20}} < \mu < 8.12 + 1.96 \times \frac{0.36}{\sqrt{20}}.$$
計算すると, $(7.96, 8.28)$ である.

(2) 信頼区間の幅を 0.2kg 以下とするために必要な標本の大きさを n とすると, $2 \times 1.96 \times \frac{0.36}{\sqrt{n}} \leq 0.2$ をみたさなければならない. これから,

$$n \geq \left(\frac{2}{0.2} \times 1.96 \times 0.36\right)^2 = 49.8.$$

よって, 50 個の標本が必要である.

10.2 μ の信頼度 95% の信頼区間

$$\bar{x}_n - 1.96 \frac{u}{\sqrt{n}} < \mu < \bar{x}_n + 1.96 \frac{u}{\sqrt{n}}$$

に $\bar{x}_n = 18.2$, $n = 40$, $u = \sqrt{\frac{n}{n-1}} \times s = \sqrt{\frac{40}{39}} \times 5.4 \approx 5.47$ を代入して

$$18.2 - 1.96 \times \frac{5.47}{\sqrt{40}} < \mu < 18.2 + 1.96 \times \frac{5.47}{\sqrt{40}}$$

すなわち, $16.50 < \mu < 19.90$.

10.3 全野球ファンのうちで千葉ロッテファンの比率を p とする. 標本の中の千葉ロッテファンの比率を p_A とすると $p_A = \frac{60}{200} = 0.3$. $n = 200$ だから, 信頼度 95% の信頼区間は

$$0.3 - 1.96\sqrt{\frac{0.3(1-0.3)}{200}} < p < 0.3 + 1.96\sqrt{\frac{0.3(1-0.3)}{200}}.$$

すなわち, $0.236 < p < 0.364$.

10.4 標本平均 $\bar{x}_{10}$, 標本分散 s^2 はそれぞれ

$$\bar{x}_{10} = \frac{1}{10}(0.067 + \cdots + 1.582) = 0.3192,$$

$$s^2 = \frac{1}{10}\{(0.067 - 0.3192)^2 + \cdots + (1.582 - 0.3129)^2\} = 3.6964.$$

χ^2 分布表より $\chi_9^2(0.025) = 19.02$, $\chi_9^2(0.975) = 2.70$ だから σ^2 の信頼度 95% の信頼区間は

$$\frac{10 \times 3.6964}{19.02} < \sigma^2 < \frac{10 \times 3.6964}{2.70}.$$

すなわち, $1.94 < \sigma^2 < 13.69$.

10.5 A, B 球団の平均入場者数を μ_A, μ_B とする. 問題文から, $n_A = 80$, $\bar{x}_A = 1070$, $s_A^2 = 472$, $n_B = 60$, $\bar{x}_B = 1042$, $s_B^2 = 366$. 90% 信頼区間だから, $z\left(\frac{0.1}{2}\right) = z(0.05) = 1.645$. 標本の数 n_A, n_B は十分に大きく大標本であるから, 不偏分散を標本分散で近似して, $u_A^2 \approx s_A^2, u_B^2 \approx s_B^2$. したがって, 信頼度 90% の信頼区間は

$$1070 - 1042 - 1.645\sqrt{\frac{472}{80} + \frac{366}{60}} < \mu_A - \mu_B < 1070 - 1042 + 1.645\sqrt{\frac{472}{80} + \frac{366}{60}}.$$

すなわち, $22.30 < \mu_A - \mu_B < 33.70$.

11章の演習解答

11.1 標本平均 $\bar{x}_5$ と不偏分散 u^2 は,
$$\bar{x}_5 = \frac{31.4 + \cdots + 32.0}{5} = 31.6,$$
$$u^2 = \frac{1}{5-1}\{(31.4 - 31.6)^2 + \cdots + (32.0 - 31.6)^2\} = 0.175.$$

有意水準 $\alpha = 0.05$ に対して, t 分布表から, $t_4(0.05) = 2.132$. したがって, 棄却域は $(-\infty, -2.132)$. 検定統計量 t の値は
$$t = \frac{\bar{x}_5 - \mu_0}{\sqrt{u^2/n}} = \frac{31.6 - 32}{\sqrt{0.175/5}} = -2.138.$$

この値は, 棄却域に入るので, 帰無仮説 H_0 は棄却される.

11.2 両側検定をする. 帰無仮説 H_0, 対立仮説 H_1 は
$$H_0 : \sigma^2 = 0.0011, \quad H_1 : \sigma^2 \neq 0.0011.$$

χ^2 分布表より, $\chi_9^2(0.95) = 3.33, \chi_9^2(0.05) = 16.92$. したがって, 棄却域は $(-\infty, 3.33)$, $(16.92, \infty)$. 標本平均 $\bar{x}_{10}$ と標本分散 s^2 は, それぞれ
$$\bar{x}_{10} = \frac{6.62 + \cdots + 6.53}{10} = 6.56.$$
$$s^2 = \frac{1}{10}\{(6.62^2 + \cdots + 6.53^2)\} - 6.56^2 = 0.00176.$$

したがって, $(n-1)u^2 = ns^2$ の関係式より, 不偏分散 u^2 に対して
$$(n-1)u^2 = ns^2 = 0.0176.$$

検定統計量 χ^2 の値は
$$\chi^2 = \frac{(n-1)u^2}{\sigma_0^2} = \frac{0.0176}{0.0011} = 16.$$

この値は棄却域に入らないので, 帰無仮説 H_0 が採択される. 分散に変化が生じたとは判断できない.

11.3 商品の返品率を p とし, 両側検定をする. 帰無仮説 H_0, 対立仮説 H_1 は
$$H_0 : p = 0.02, \quad H_1 : p \neq 0.02.$$

有意水準 $\alpha = 0.05$ だから, $z\left(\frac{0.05}{2}\right) = z(0.025) = 1.96$. よって, 棄却域は $(-\infty, -1.96), (1.96, \infty)$. 検定統計量の値は
$$z = \frac{p_{400} - p_0}{\sqrt{p_0(1-p_0)/n}} = \frac{\frac{14}{400} - 0.02}{\sqrt{(0.02 \times 0.98)/400}} = 2.14.$$

この値は棄却域に入るので, 帰無仮説 H_0 は棄却される. したがって, 返品率に変化が起こったと判断される.

11.4 トレーニング後からトレーニング前の値を引いた差のデータを作ると次表.

No.	1	2	3	4	5	6	7	8
差	5	9	20	-9	4	10	-14	7

トレーニング効果はプラスに変化したかどうかで計るので，片側検定をする．帰無仮説 H_0, 対立仮説 H_1 は

$$H_0 : \mu_d = 0, \quad H_1 : \mu_d > 0.$$

自由度は 7 で，有意水準は $\alpha = 0.05$ ですから，t 分布表から $t_7(0.05) = 1.895$. したがって，棄却域は $(1.895, \infty)$. 標本平均 $\bar{d}_8$, 不偏分散 u_d^2 は，それぞれ

$$\bar{d}_8 = \frac{5 + \cdots + 7}{8} = 4, \quad u_d^2 = \frac{1}{7}\{(5-4)^2 + \cdots + (7-4)^2\} = 88.57.$$

これより，検定統計量 t の値は

$$t = \frac{\bar{d}_n - 0}{\sqrt{u_d^2/n}} = \frac{4.0 - 0}{\sqrt{88.57/8}} = 1.202.$$

この値は棄却域に入らないので，帰無仮説 H_0 は棄却できず採択される．したがって，トレーニング効果はないと判断される．

12 章の演習解答

12.1 サイコロを 1 回投げて，i の目が出る確率を p_i とするとき，サイコロに偏りがないという帰無仮説 H_0 は

$$H_0 : p_1 = p_2 = \cdots = p_6 = \frac{1}{6}.$$

i の目が出る期待度数 np_i は，

$$np_1 = np_2 = \cdots = np_6 = 60 \times \frac{1}{6} = 10.$$

サイコロの目	1	2	3	4	5	6	計
観測度数	16	7	5	10	5	17	60
期待度数	10	10	10	10	10	10	60

検定統計量の値は

$$\chi^2 = \frac{(16-10)^2}{10} + \frac{(7-10)^2}{10} + \cdots + \frac{(17-19)^2}{10} = 14.4.$$

自由度 $(6-1) = 5$ で，有意水準 $\alpha = 0.05$ に対して，χ^2 分布表から，$\chi_5^2(005) = 11.07$ だから，棄却域は $(11.07, \infty)$. 検定統計量の値は棄却域に入るので帰無仮説 H_0 は棄却される．したがって，サイコロが偏っていると判断される．

12.2 帰無仮説 H_0：「性別とこの大統領の支持は独立である」を検定．与えられた 2×2 分割表から期待度数表を計算すると次．

	支持する	支持しない
男性	139.8	57.2
女性	151.2	61.8

これより，検定統計量の値は

$$\chi^2 = \frac{(122-139.8)^2}{139.8} + \frac{(169-151.2)^2}{151.2} + \frac{(75-57.2)^2}{57.2} + \frac{(44-61.8)^2}{61.8} = 15.07.$$

$r = 2$, $c = 2$ より，自由度 $(2-1)(2-1) = 1$. 有意水準 $\alpha = 0.01$ に対して $\chi_1^2(0.01) = 6.635$ だから，棄却域は $(6.635, \infty)$. 検定統計量の値は棄却域に入るので，帰無仮説 H_0 は棄却される．したがって，性別とこの大統領の支持・不支持は独立とはいえないと判断される．

正規分布表

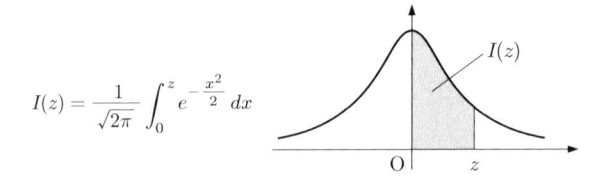

$$I(z) = \frac{1}{\sqrt{2\pi}} \int_0^z e^{-\frac{x^2}{2}} dx$$

z	0	0.01	0.02	0.03	0.04	0.05	0.06	0.07	0.08	0.09
0.0	.0000	.0040	.0080	.0120	.0160	.0199	.0239	.0279	.0319	.0359
0.1	.0398	.0438	.0478	.0517	.0557	.0596	.0636	.0675	.0714	.0753
0.2	.0793	.0832	.0871	.0910	.0948	.0987	.1026	.1064	.1103	.1141
0.3	.1179	.1217	.1255	.1293	.1331	.1368	.1406	.1443	.1480	.1517
0.4	.1554	.1591	.1628	.1664	.1700	.1736	.1772	.1808	.1844	.1879
0.5	.1915	.1950	.1985	.2019	.2054	.2088	.2123	.2157	.2190	.2224
0.6	.2257	.2291	.2324	.2357	.2389	.2422	.2454	.2486	.2517	.2549
0.7	.2580	.2611	.2642	.2673	.2704	.2734	.2764	.2794	.2823	.2852
0.8	.2881	.2910	.2939	.2967	.2995	.3023	.3051	.3078	.3106	.3133
0.9	.3159	.3186	.3212	.3238	.3264	.3289	.3315	.3340	.3365	.3389
1.0	.3413	.3438	.3461	.3485	.3508	.3531	.3554	.3577	.3599	.3621
1.1	.3643	.3665	.3686	.3708	.3729	.3749	.3770	.3790	.3810	.3830
1.2	.3849	.3869	.3888	.3907	.3925	.3944	.3962	.3980	.3997	.4015
1.3	.4032	.4049	.4066	.4082	.4099	.4115	.4131	.4147	.4162	.4177
1.4	.4192	.4207	.4222	.4236	.4251	.4265	.4279	.4292	.4306	.4319
1.5	.4332	.4345	.4357	.4370	.4382	.4394	.4406	.4418	.4429	.4441
1.6	.4452	.4463	.4474	.4484	.4495	.4505	.4515	.4525	.4535	.4545
1.7	.4554	.4564	.4573	.4582	.4591	.4599	.4608	.4616	.4625	.4633
1.8	.4641	.4649	.4656	.4664	.4671	.4678	.4686	.4693	.4699	.4706
1.9	.4713	.4719	.4726	.4732	.4738	.4744	.4750	.4756	.4761	.4767
2.0	.4772	.4778	.4783	.4788	.4793	.4798	.4803	.4808	.4812	.4817
2.1	.4821	.4826	.4830	.4834	.4838	.4842	.4846	.4850	.4854	.4857
2.2	.4861	.4864	.4868	.4871	.4875	.4878	.4881	.4884	.4887	.4890
2.3	.4893	.4896	.4898	.4901	.4904	.4906	.4909	.4911	.4913	.4916
2.4	.4918	.4920	.4922	.4925	.4927	.4929	.4931	.4932	.4934	.4936
2.5	.4938	.4940	.4941	.4943	.4945	.4946	.4948	.4949	.4951	.4952
2.6	.4953	.4955	.4956	.4957	.4959	.4960	.4961	.4962	.4963	.4964
2.7	.4965	.4966	.4967	.4968	.4969	.4970	.4971	.4972	.4973	.4974
2.8	.4974	.4975	.4976	.4977	.4977	.4978	.4979	.4979	.4980	.4981
2.9	.4981	.4982	.4982	.4983	.4984	.4984	.4985	.4985	.4986	.4986
3.0	.4987	.4987	.4987	.4988	.4988	.4989	.4989	.4989	.4990	.4990
3.1	.4990	.4991	.4991	.4991	.4992	.4992	.4992	.4992	.4993	.4993
3.2	.4993	.4993	.4994	.4994	.4994	.4994	.4994	.4995	.4995	.4995
3.3	.4995	.4995	.4995	.4996	.4996	.4996	.4996	.4996	.4996	.4997
3.4	.4997	.4997	.4997	.4997	.4997	.4997	.4997	.4997	.4997	.4998
3.5	.4998	.4998	.4998	.4998	.4998	.4998	.4998	.4998	.4998	.4998

χ^2 分布表

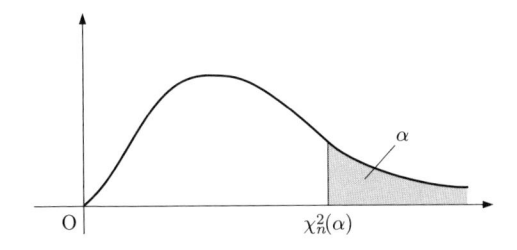

$n\backslash\alpha$	0.99	0.975	0.95	0.9	0.70	0.1	0.05	0.025	0.01
1	...	...	...	.0158	0.148	2.706	3.841	5.024	6.635
2	.02010	.05064	.1026	.2107	0.713	4.605	5.991	7.378	9.210
3	.1148	.2158	.3518	.5844	1.424	6.251	7.815	9.348	11.345
4	.2971	.4844	.7107	1.064	2.195	7.779	9.488	11.143	13.277
5	.5543	.8312	1.145	1.610	3.000	9.236	11.070	12.832	15.086
6	.8721	1.237	1.635	2.204	3.828	10.645	12.592	14.449	16.812
7	1.239	1.690	2.167	2.833	4.671	12.017	14.067	16.013	18.475
8	1.646	2.180	2.733	3.490	5.527	13.362	15.507	17.535	20.090
9	2.088	2.700	3.325	4.168	6.393	14.684	16.919	19.023	21.666
10	2.558	3.247	3.940	4.865	7.267	15.987	18.307	20.483	23.209
11	3.053	3.816	4.575	5.578	8.148	17.275	19.675	21.920	24.725
12	3.571	4.404	5.226	6.304	9.034	18.549	21.026	23.337	26.217
13	4.107	5.009	5.892	7.042	9.926	19.812	22.362	24.736	27.688
14	4.660	5.629	6.571	7.790	10.821	21.064	23.685	26.119	29.141
15	5.229	6.262	7.261	8.547	11.721	22.307	24.996	27.488	30.578
16	5.812	6.908	7.962	9.312	12.624	23.542	26.296	28.845	32.000
17	6.408	7.564	8.672	10.085	13.531	24.769	27.587	30.191	33.409
18	7.015	8.231	9.390	10.865	14.440	25.989	28.869	31.526	34.805
19	7.633	8.907	10.117	11.651	15.352	27.204	30.144	32.852	36.191
20	8.260	9.591	10.865	12.443	16.266	28.412	31.410	34.170	37.565
21	8.897	10.283	11.591	13.240	17.182	29.615	32.671	35.479	38.932
22	9.542	10.982	12.338	14.041	18.101	30.813	33.924	36.781	40.289
23	10.196	11.689	13.091	14.848	19.021	32.007	35.172	38.076	41.638
24	10.856	12.401	13.848	15.659	19.943	33.196	36.415	39.364	42.980
25	11.524	13.120	14.611	16.473	20.867	34.382	37.652	40.646	44.314
26	12.198	13.844	15.379	17.292	21.792	35.563	38.885	41.923	45.642
27	12.879	14.573	16.151	18.114	22.719	36.741	40.113	43.194	46.963
28	13.565	15.308	16.928	18.939	23.647	37.916	41.337	44.461	48.278
29	14.256	16.047	17.708	19.768	24.577	39.087	42.557	45.722	49.588
30	14.953	16.791	18.493	20.599	25.508	40.256	43.773	46.979	50.892

t 分布表

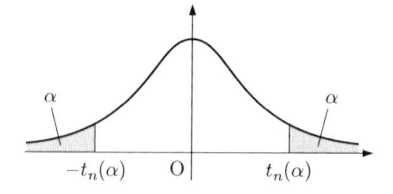

$n \backslash \alpha$	0.15	0.1	0.05	0.025	0.01	0.005
1	1.968	3.078	6.314	12.706	31.821	63.657
2	1.386	1.886	2.920	4.303	6.965	9.925
3	1.250	1.638	2.353	3.182	4.541	5.841
4	1.190	1.533	2.132	2.776	3.747	4.604
5	1.156	1.476	2.015	2.571	3.365	4.032
6	1.134	1.440	1.943	2.447	3.143	3.707
7	1.119	1.415	1.895	2.365	2.998	3.500
8	1.108	1.397	1.860	2.306	2.897	3.355
9	1.100	1.383	1.833	2.262	2.821	3.250
10	1.093	1.372	1.813	2.228	2.764	3.169
11	1.088	1.363	1.796	2.201	2.718	3.106
12	1.083	1.356	1.782	2.179	2.681	3.055
13	1.079	1.350	1.771	2.160	2.650	3.012
14	1.076	1.345	1.761	2.145	2.625	2.977
15	1.074	1.341	1.753	2.131	2.603	2.947
16	1.071	1.337	1.746	2.120	2.584	2.921
17	1.069	1.333	1.740	2.110	2.567	2.898
18	1.067	1.330	1.734	2.101	2.552	2.878
19	1.066	1.328	1.729	2.093	2.540	2.861
20	1.064	1.325	1.725	2.086	2.528	2.845
21	1.063	1.323	1.721	2.080	2.518	2.831
22	1.061	1.321	1.717	2.074	2.508	2.819
23	1.060	1.319	1.714	2.069	2.500	2.807
24	1.059	1.318	1.711	2.064	2.492	2.797
25	1.058	1.316	1.708	2.060	2.485	2.787
26	1.058	1.315	1.706	2.056	2.479	2.779
27	1.057	1.314	1.703	2.052	2.473	2.771
28	1.056	1.313	1.701	2.049	2.467	2.763
29	1.055	1.311	1.699	2.042	2.457	2.750
30	1.055	1.310	1.697	2.042	2.457	2.750
40	1.055	1.303	1.684	2.021	2.423	2.705
60	1.046	1.296	1.671	2.000	2.390	2.660
120	1.041	1.289	1.658	1.980	2.358	2.617
∞	1.036	1.282	1.645	1.960	2.326	2.576

F 分布表 ($\alpha = 0.05$)

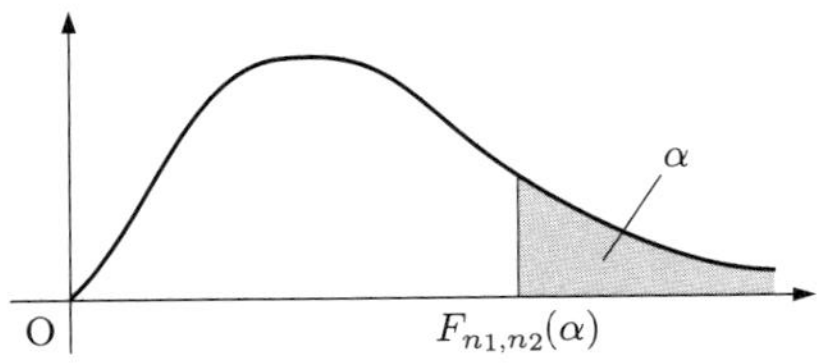

$n_1\backslash n_2$	1	2	3	4	5	6	7	8	9	10	12	15	20	30	∞
1	161.4	199.5	215.7	224.6	230.2	234.0	236.8	238.9	240.5	241.9	243.9	245.9	248.0	250.1	254.3
2	18.51	19.00	19.16	19.25	19.30	19.33	19.35	19.37	19.38	19.40	19.41	19.43	19.45	19.46	19.50
3	10.13	9.55	9.28	9.12	9.01	8.94	8.89	8.85	8.81	8.79	8.74	8.70	8.66	8.62	8.53
4	7.71	6.94	6.59	6.39	6.26	6.16	6.09	6.04	6.00	5.96	5.91	5.86	5.80	5.75	5.63
5	6.61	5.79	5.41	5.19	5.05	4.95	4.88	4.82	4.77	4.74	4.68	4.62	4.56	4.50	4.36
6	5.99	5.14	4.76	4.53	4.39	4.28	4.21	4.15	4.10	4.06	4.00	3.94	3.87	3.81	3.67
7	5.59	4.74	4.35	4.12	3.97	3.87	3.79	3.73	3.68	3.64	3.57	3.51	3.44	3.38	3.23
8	5.32	4.46	4.07	3.84	3.69	3.58	3.50	3.44	3.39	3.35	3.28	3.22	3.15	3.08	2.93
9	5.12	4.26	3.86	3.63	3.48	3.37	3.29	3.23	3.18	3.14	3.07	3.01	2.94	2.86	2.71
10	4.96	4.10	3.71	3.48	3.33	3.22	3.14	3.07	3.02	2.98	2.91	2.85	2.77	2.70	2.54
11	4.84	3.98	3.59	3.36	3.20	3.09	3.01	2.95	2.90	2.85	2.79	2.72	2.65	2.57	2.40
12	4.75	3.89	3.49	3.26	3.11	3.00	2.91	2.85	2.80	2.75	2.69	2.62	2.54	2.47	2.30
13	4.67	3.81	3.41	3.18	3.03	2.92	2.83	2.77	2.71	2.67	2.60	2.53	2.46	2.38	2.21
14	4.60	3.74	3.34	3.11	2.96	2.85	2.76	2.70	2.65	2.60	2.53	2.46	2.39	2.31	2.13
15	4.54	3.68	3.29	3.06	2.90	2.79	2.71	2.64	2.59	2.54	2.48	2.40	2.33	2.25	2.07
16	4.49	3.63	3.24	3.01	2.85	2.74	2.66	2.59	2.54	2.49	2.42	2.35	2.28	2.19	2.01
17	4.45	3.59	3.20	2.96	2.81	2.70	2.61	2.55	2.49	2.45	2.38	2.31	2.23	2.15	1.96
18	4.41	3.55	3.16	2.93	2.77	2.66	2.58	2.51	2.46	2.41	2.34	2.27	2.19	2.11	1.92
19	4.38	3.52	3.13	2.90	2.74	2.63	2.54	2.48	2.42	2.38	2.31	2.23	2.16	2.07	1.88
20	4.35	3.49	3.10	2.87	2.71	2.60	2.51	2.45	2.39	2.35	2.28	2.20	2.12	2.04	1.84

F 分布表 ($\alpha = 0.05$)

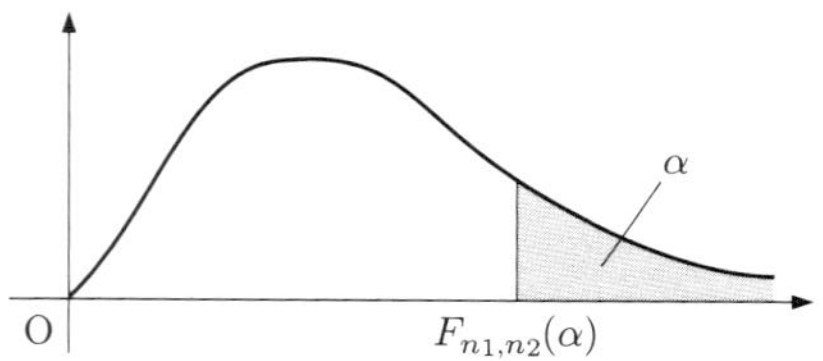

$n_1\backslash n_2$	1	2	3	4	5	6	7	8	9	10	12	15	20	30	∞
21	4.32	3.47	3.07	2.84	2.68	2.57	2.49	2.42	2.37	2.32	2.25	2.18	2.10	2.01	1.81
22	4.30	3.44	3.05	2.82	2.66	2.55	2.46	2.40	2.34	2.30	2.23	2.15	2.07	1.98	1.78
23	4.28	3.42	3.03	2.80	2.64	2.53	2.44	2.37	2.32	2.27	2.20	2.13	2.05	1.96	1.76
24	4.26	3.40	3.01	2.78	2.62	2.51	2.42	2.36	2.30	2.25	2.18	2.11	2.03	1.94	1.73
25	4.24	3.39	2.99	2.76	2.60	2.49	2.40	2.34	2.28	2.24	2.16	2.09	2.01	1.92	1.71
26	4.23	3.37	2.98	2.74	2.59	2.47	2.39	2.32	2.27	2.22	2.15	2.07	1.99	1.90	1.69
27	4.21	3.35	2.96	2.73	2.57	2.46	2.37	2.31	2.25	2.20	2.13	2.06	1.97	1.88	1.67
28	4.20	3.34	2.95	2.71	2.56	2.45	2.36	2.29	2.24	2.19	2.12	2.04	1.96	1.87	1.65
29	4.18	3.33	2.93	2.70	2.55	2.43	2.35	2.28	2.22	2.18	2.10	2.03	1.94	1.85	1.64
30	4.17	3.32	2.92	2.69	2.53	2.42	2.33	2.27	2.21	2.16	2.09	2.01	1.93	1.84	1.62
40	4.08	3.23	2.84	2.61	2.45	2.34	2.25	2.18	2.12	2.08	2.00	1.92	1.84	1.74	1.51
60	4.00	3.15	2.76	2.53	2.37	2.25	2.17	2.10	2.04	1.99	1.92	1.84	1.75	1.65	1.39
120	3.92	3.07	2.68	2.45	2.29	2.18	2.09	2.02	1.96	1.91	1.83	1.75	1.66	1.55	1.25
∞	3.84	3.00	2.60	2.37	2.21	2.10	12.01	1.94	1.88	1.83	1.75	1.67	1.57	1.46	1.00

F 分布表 ($\alpha = 0.01$)

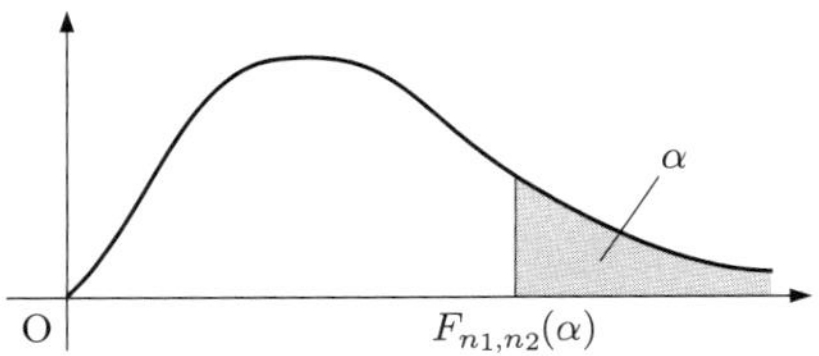

$F_{n_1, n_2}(\alpha)$

$n_1 \backslash n_2$	1	2	3	4	5	6	7	8	9	10	12	15	20	30	∞
1	4052	4999	5403	5625	5764	5859	5928	5981	6022	6056	6106	6157	6209	6261	6366
2	98.50	99.00	99.17	99.25	99.30	99.33	99.36	99.37	99.39	99.40	99.42	99.43	99.45	99.47	99.50
3	34.12	30.82	29.46	28.71	28.24	27.91	27.67	27.49	27.35	27.23	27.05	26.87	26.69	26.50	26.13
4	21.20	18.00	16.69	15.98	15.52	15.21	14.98	14.80	14.66	14.55	14.37	14.20	14.02	13.84	13.46
5	16.26	13.27	12.06	11.39	10.97	10.67	10.46	10.29	10.16	10.05	9.89	9.72	9.55	9.38	9.02
6	13.75	10.92	9.78	9.15	8.75	8.47	8.26	8.10	7.98	7.87	7.72	7.56	7.40	7.23	6.88
7	12.25	9.55	8.45	7.85	7.46	7.19	6.99	6.84	6.72	6.62	6.47	6.31	6.16	5.99	5.65
8	11.26	8.65	7.59	7.01	6.63	6.37	6.18	6.03	5.91	5.81	5.67	5.52	5.36	5.20	4.86
9	10.56	8.02	6.99	6.42	6.06	5.80	5.61	5.47	5.35	5.26	5.11	4.96	4.81	4.65	4.31
10	10.04	7.56	6.55	5.99	5.64	5.39	5.20	5.06	4.94	4.85	4.71	4.56	4.41	4.25	3.91
11	9.65	7.21	6.22	5.67	5.32	5.07	4.89	4.74	4.63	4.54	4.40	4.25	4.10	3.94	3.60
12	9.33	6.93	5.95	5.41	5.06	4.82	4.64	4.50	4.39	4.30	4.16	4.01	3.86	3.70	3.36
13	9.07	6.70	5.74	5.21	4.86	4.62	4.44	4.30	4.19	4.10	3.96	3.82	3.66	3.51	3.17
14	8.86	6.51	5.56	5.04	4.69	4.46	4.28	4.14	4.03	3.94	3.80	3.66	3.51	3.35	3.00
15	8.68	6.36	5.42	4.89	4.56	4.32	4.14	4.00	3.89	3.80	3.67	3.52	3.37	3.21	2.87
16	8.53	6.23	5.29	4.77	4.44	4.20	4.03	3.89	3.78	3.69	3.55	3.41	3.26	3.10	2.75
17	8.40	6.11	5.18	4.67	4.34	4.10	3.93	3.79	3.68	3.59	3.46	3.31	3.16	3.00	2.65
18	8.29	6.01	5.09	4.58	4.25	4.01	3.84	3.71	3.60	3.51	3.37	3.23	3.08	2.92	2.57
19	8.18	5.93	5.01	4.50	4.17	3.94	3.77	3.63	3.52	3.43	3.30	3.15	3.00	2.84	2.49
20	8.10	5.85	4.94	4.43	4.10	3.87	3.70	3.56	3.46	3.37	3.23	3.09	2.94	2.78	2.42

F 分布表 ($\alpha = 0.01$)

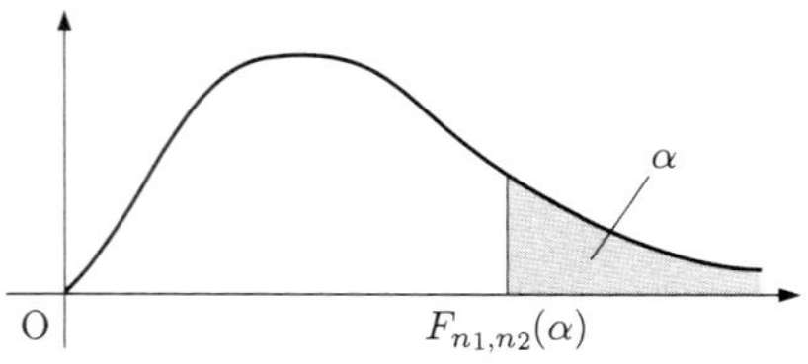

$n_1\backslash n_2$	1	2	3	4	5	6	7	8	9	10	12	15	20	30	∞
21	8.02	5.78	4.87	4.37	4.04	3.81	3.64	3.51	3.40	3.31	3.17	3.03	2.88	2.72	2.36
22	7.95	5.72	4.82	4.31	3.99	3.76	3.59	3.45	3.35	3.26	3.12	2.98	2.83	2.67	2.31
23	7.88	5.66	4.76	4.26	3.94	3.71	3.54	3.41	3.30	3.21	3.07	2.93	2.78	2.62	2.26
24	7.82	5.61	4.72	4.22	3.90	3.67	3.50	3.36	3.26	3.17	3.03	2.89	2.74	2.58	2.21
25	7.77	5.57	4.68	4.18	3.85	3.63	3.46	3.32	3.22	3.13	2.99	2.85	2.70	2.54	2.17
26	7.72	5.53	4.64	4.14	3.82	3.59	3.42	3.29	3.18	3.09	2.96	2.81	2.66	2.50	2.13
27	7.68	5.49	4.60	4.11	3.78	3.56	3.39	3.26	3.15	3.06	2.93	2.78	2.63	2.47	2.10
28	7.64	5.45	4.57	4.07	3.75	3.53	3.36	3.23	3.12	3.03	2.90	2.75	2.60	2.44	2.06
29	7.60	5.42	4.54	4.04	3.73	3.50	3.33	3.20	3.09	3.00	2.87	2.73	2.57	2.41	2.03
30	7.56	5.39	4.51	4.02	3.70	3.47	3.30	3.17	3.07	2.98	2.84	2.70	2.55	2.39	2.01
40	7.31	5.18	4.31	3.83	3.51	3.29	3.12	2.99	2.89	2.80	2.66	2.52	2.37	2.20	1.80
60	7.08	4.98	4.13	3.65	3.34	3.12	2.95	2.82	2.72	2.63	2.50	2.35	2.20	2.03	1.60
120	6.85	4.79	3.95	3.48	3.17	2.96	2.79	2.66	2.56	2.47	2.34	2.19	2.03	1.86	1.38
∞	6.63	4.61	3.78	3.32	3.02	2.80	2.64	2.51	2.41	2.32	2.18	2.04	1.88	1.70	1.00

関 連 図 書

[1] 稲垣宣生, (2003), 数理統計学, 改訂版, 裳華房
[2] 石村園子, (2006), やさしく学べる統計学, 共立出版
[3] 岩崎学, (2007), 確率・統計の基礎, 東京図書
[4] 上田拓治, (2009), 44の例題で学ぶ統計的検定と推定の解き方, オーム社
[5] 小川重義, (2005), 確率解析と伊藤過程, 朝倉書店
[6] 楠岡成雄, (1995), 確率・統計, 森北出版
[7] 栗栖忠, 濱田年男, 稲垣宣生, (2001), 統計学の基礎, 裳華房
[8] 白旗慎吾, (1992), 統計解析入門, 共立出版
[9] 高松俊朗, (1977), 数理統計学入門, 学術図書出版社
[10] 東京大学教養部統計学教室, (1991), 自然科学の統計学, 東京大学出版会
[11] 永田靖, 棟近雅彦, (2001), 多変量解析入門, サイエンス社
[12] 長井英生, (1999), 確率微分方程式, 共立出版
[13] 西尾真喜子, (1978), 確率論, 実教出版
[14] 西尾真喜子, 樋口保成, (2006), 確率過程入門, 培風館
[15] 舟木直久, (2004), 確率論, 朝倉書店
[16] 松原望, (2008), 入門ベイズ統計, 東京図書
[17] 松本裕行, 宮原孝夫, (1990), 数理統計入門, 学術図書出版社
[18] 村上正康, 安田正實, (1989), 統計学演習, 培風館
[19] Feller, W., (1960), 河田龍夫監訳, 確率論とその応用 I (上, 下), 紀伊国屋書店
[20] Ross, S. M., (2009), *Introduction to Probability Models,* Tenth Edition, Academic Press

[21]　Shiryaev, A. N., (1995),　*Probability*, Second Edition, Springer

　大学 1, 2 年生用の確率・統計の教科書には良書がたくさんあります．関連図書に挙げた中で本書に似ているのは，岩崎 [3]，栗栖・濱田・稲垣 [7]，高松 [9]，松本・宮原 [17]，東京大学教養部 [10] です．これらは，ほぼ同じ（たとえば，本書は回帰分析を取り上げていません）範囲をカバーしています．岩崎 [3] は基本事項が見開き 2 頁にまとまり，辞書的にも使えます．栗栖・濱田・稲垣 [7] は具体的例題が豊富な上に，特に推定・検定は本書より広い範囲で扱っていて，お薦めです．少し古いですが高松 [9] も比較的豊富な演習付きで説明が丁寧です．大学生のときに演習を解きながら勉強し「わかった」感をいただきました（学術図書出版から本書を出版させていただいた理由のひとつです）．松本・宮原 [17] は理論的にとても見通しよく簡潔にまとまっています．石村 [2] は扱っている範囲に制限がありますが，本書より易しめで数式のフォローが丁寧であり文系の方に読みやすい本です．本書でも以上の教科書を参考にさせていただきました．

　本書で学ぶ推定・検定は，多くの大学 1, 2 年用の教科書と同様にその理論的基礎という位置づけになります．実務では，さらにさまざまな推定・検定の手法を学び，それぞれをどのような場合に適用することができるかを把握し，目的に応じて応用できるようになることが必要になります．各種の推定・検定手法を辞書的に引ける参考書として，ここでは上田 [4] を挙げておきます．

　大学初年級レベルで確率・統計の歴史を踏まえた考え方に触れることができる本は多くないのですが，その 1 冊に楠岡 [6] があります．理系テイストで，他書にない特色としてベイジアン統計的決定を扱っています．ベイズ統計学の入門には松原 [16] があります．

　洋書では，Feller [19] は世界的に読まれた確率の教科書の名著です．Ross [20] は改訂を何度も重ねている大学初年級向け確率論のテキストです．英語に拒否反応がなければ，わかりやすい簡潔な英文であり，例題が豊かに掲載されています．

　「はじめに」にでも述べましたが，本書の例題と演習は基本的問題を主に掲載しています．演習量が不足しているかもしれません．本書の内容に合う演習

書としては村上・安田 [18] を文系・理系の学生双方にお勧めします．栗栖・濱田・稲垣 [7] もたくさんの章末問題があります．これらは本書でも参考にさせていただきました．

さらに多変量統計の勉強には，永田・棟近 [11]．より進んだ数理統計学を学びたい方は，稲垣 [1]，白旗 [8]．しっかりと確率論を学びたい方は，舟木 [15]，西尾 [13], Shiryaev [21] にチャレンジしてみてください．確率解析・確率微分方程式の本も，その国際的な研究水準の高さを反映し日本にはたくさんの良書があります．ここでは西尾・樋口 [14]，小川 [5] を挙げておきます．さらに確率解析の勉強を進めたい数理科学系学科学生には，それらに続いて個性的ですが長井 [12] があります．

自分にフィットした本に出会えることを願ってます．

執筆者紹介

穴太 克則(あのう かつのり)

大阪大学基礎工学研究科数理教室博士課程修了．工学博士．
南山大学情報管理学科助教授，UCLA 数学科・Stanford 統計学科客員研究員，
芝浦工業大学数理科学科教授を歴任．

講義：確率・統計

2011 年 4 月 30 日	第 1 版 第 1 刷 発行
2012 年 3 月 30 日	第 2 版 第 1 刷 発行
2025 年 9 月 20 日	第 2 版 第 8 刷 発行

著　者	穴太　克則
発行者	発田　和子
発行所	株式会社　学術図書出版社

〒113-0033　東京都文京区本郷 5 丁目 4 の 6
TEL 03-3811-0889　振替 00110-4-28454
印刷　(株) かいせい

定価はカバーに表示してあります．

本書の一部または全部を無断で複写（コピー）・複製・転載することは，著作権法でみとめられた場合を除き，著作者および出版社の権利の侵害となります．あらかじめ，小社に許諾を求めて下さい．

© K. ANO　2011, 2012　Printed in Japan
ISBN978-4-7806-1384-1　C3041